我的青春*
恋爱喜剧
果然有问题

（日）渡航 著
（日）ponkan⑧ 绘
Dying 译

1

时代出版传媒股份有限公司
安徽少年儿童出版社

目 录

『是吗？我还以为你喜欢我呢。』

比企谷八幡
Hachiman Hikigaya

雪之下雪乃
Yukino Yukinoshita

我的青春恋爱喜剧果然有问题

我的青春
恋爱喜剧
果然有问题
①

登场人物

比企谷八幡
【Hikigaya Hachiman】
——主人公。高二。性格乖僻。

雪之下雪乃
【Yukinoshita Yukino】
——待奉社社长。堪称完美的美少女。只是性格让人不敢恭维。

由比滨结衣
【Yuigahama Yui】
——八幡的同班同学。总是看周围人的脸色。

材木座义辉
【Zaimokuza Yoshiteru】
——死宅。将八幡视为同伴。

户冢彩加
【Totsuka Saika】
——网球社成员。非常可爱，但是……

平冢静
【Hiratsuka Shizuka】
——语文老师，兼任生活指导老师。

"回顾高中生活"

2年F班　比企谷八幡

青春是谎言，亦是罪恶。

歌颂青春的人总在自欺欺人与诓骗他人。

他们积极利用所处环境的一切资源。

即使惨遭失败，也会将其视为青春的证明，在回忆中刻画出美好的一页。

举个例子吧。这些人做出偷窃或打群架等犯罪行为时，会称之为"年少气盛"。

在考试中挂科时，会宣称"学校不只是用来学习的地方"。

他们高举着"青春"的幌子，无论是基本常识还是社会伦理都能曲解给你看。在他们的眼中，谎言、私密、错误和失败不过是青春的调料罢了。

不仅如此，他们还能在罪恶和失败中寻觅出与众不同的"个性"。

自己的失败是青春正常的一部分，别人的失败就不算青春，而是单纯的失败。在他们看来，只有自己才是真正的人生赢家。

倘若失败就是青春的证明，那交不到朋友的人不就屹立于青春之巅了吗？想必那些人是不会认同这个说法的吧。

恕我直言，他们只是一群利己主义者。

因此，他们的所作所为都是欺骗。而欺骗、欺诈、谎言和私密都应该受到谴责。

这些人是罪恶的化身。

反过来说，从不歌颂青春的人才是真正的正义使者。

这就是我得出的结论。

现充给我爆炸吧！

（注："现充"意指单凭现实生活就能过得很充实的人，也可指某些二次元角色，常含贬义。）

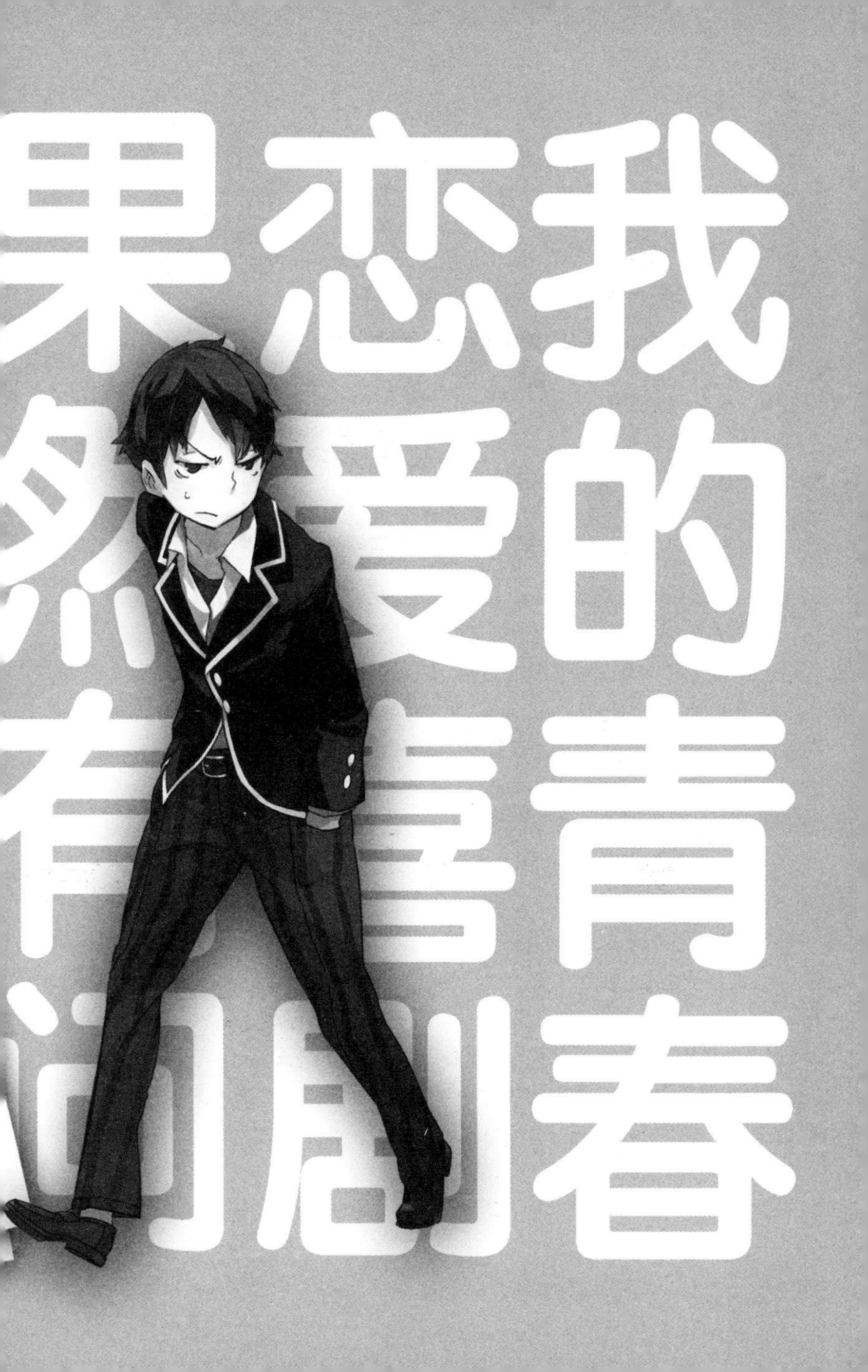
我的青春
恋爱喜剧
果然有问

第一章
反正比企谷八幡已经无药可救

语文老师平冢静额头青筋暴起，大声地念出了我的作文。

听她这样念一遍，我才发现自己的文笔还差得很远。以为罗列一些看似高深的词语，就能显得自己聪明过人——这篇文章的字里行间流露出了作品滞销的作家才会有的钻空子想法。

那么，我是因为这篇有欠雕琢的文章而被叫出来的吗？

当然不是。我心中有数。

平冢老师念完之后，轻扶额头长叹了一口气。

"喂，比企谷。我在课上出的题目是什么？"

"呃，我记得是《回顾高中生活》吧。"

"是呀。那你怎么会写成一篇"犯罪声明"呢？你是恐怖分子还是白痴啊？"

平冢老师又叹了口气，似乎有些烦躁地撩起长发。

说起来，"女教师"这种说法要比"女老师"有趣得多呢。

开始胡思乱想的我刚一坏笑，脑袋就被老师手中的报告敲了一下。

"给我认真听！"

"哦……"

"该怎么说呢，你的眼睛简直就是一双死鱼眼。"

"DHA有那么丰富吗？听起来就很聪明呢。"

平冢老师的嘴角微微扬起。

"比企谷，你这篇目中无人的作文是怎么回事？让我听听你的借口。"

老师恶狠狠地瞪着我。她明明算是个美女，视线却犀利到让人喘不过气。真是吓死人了。

"木，木有。我有好好回顾自己的高中生活。最近的高中生不都系这样的吗？我写的基本上都是事实呀！"

不小心咬到舌头了。本来与他人对话时我就容易紧张，更何况对方还是比自己年长的女性。

"一般来说，写这种作文都是回顾自己的生活才对吧。"

"那就请您在出题时加上前提条件，我一定会照着写的。这只能说是老师的失误。"

"臭小鬼，不要强词夺理。"

"小鬼吗……嗯，考虑到老师的年龄，我的确算是小鬼。"

一阵风呼啸而过。

拳头。一记跳过了准备动作、令人惊叹的完美直拳擦过我的脸颊。

"下一次可不会落空了。"

老师的眼神是认真的。

"对不起。我马上重写。"

我选择了最适合表现出歉意与反省的台词。

但平冢老师似乎并不满意。不是吧，看来我只能跪地求饶了。我将平裤腿上的褶皱，屈起右腿，打算单膝跪地。我的整套动作有如行云流水般优雅自然。

"我没有生气。"

啊，出现了。又是这句话。

这种反应最难对付了，和"我不会生气的啦，你说来听听"是一个道理。我还从来没有见过说完这句话之后不生气的人。

不过，令我意外的是，平冢老师似乎真的没有发火——至少没有因为年龄以外的话题生气。我收回屈向地板的右腿，偷偷打量她的表情。

平冢老师从胸前鼓囊囊的口袋里取出七星牌香烟，在桌面上"咚咚"地敲了两下过滤嘴，动作就像中年大叔一般。填好烟草后，老师用百元店买的打火机"咔嚓"一声点着火，悠然自得地吐出一口烟雾，然后才一本正经地看着我。

"你没有参加社团活动吧？"

"没有。"

"也没有朋友吗？"

提问的前提就是我没有朋友嘛。

"重、重视平等是我的人生座右铭，所以我不会跟特定人物有亲密的来往！"

"也就是说你没有朋友？"

"说、说白了就是没有……"

听到我这样回答，平冢老师顿时显得干劲十足。

"是吗？你果然没有！一切如我所料！一看到你那双死鱼眼，我就猜到了！"

只看眼睛就能猜到吗？那就别问我了呀。

平冢老师连连点头，表示能够理解。接着，她又盯着我的脸，故作含蓄地问道。

"那你有女朋友之类的吗？"

什么叫"之类的"？如果我回答说有男朋友，你打算怎么办？

© ponkan⑧

"目前，还没有。"

因为满怀着对未来的期望，我姑且将重音放在了"目前"这两个字上。

"这样啊……"

老师这次看向我的眼睛泛起了泪光。我宁可相信她只是被香烟熏到了。

喂，够了啦！不要再用那种温柔包容的眼神看着我！

而且这种神展开是怎么回事？平冢老师其实是热血教师？她该不会是想提出烂橘子那套理论吧？还是不良少女回母校？……如果真去的话，干脆就永远别回来了。

（注："烂橘子"理论出自经典日剧《三年 B 班金八老师》，《不良少年回母校》也是热血教师题材的日剧。）

平冢老师沉思片刻，突然叹息着吐出一口烟。

"好，就这么办吧。给我重写一份报告。"

"是。"

不然还能怎么样呢。

很好，这次我就写一篇规规矩矩的文章吧，就像写真偶像或声优博客上"今天的晚餐大·揭·秘……是咖喱哦"那样。说什么"大揭秘"，根本没有半点意外性好吗？

到此为止都在我的意料之中，但下一秒发生的事完全超乎我的想象。

"不过，你的无心之言和态度伤害了我也是事实。难道没有人教过你不能和女性聊年龄的话题吗？所以，我命令你参加侍奉活动。做错事就要受到相应的惩罚。"

平冢老师面带着别说是受过伤害，简直比平常还要亢奋的表情兴致勃勃地说着。

这样实在不成体统……话说回来，以惩罚别人为乐算是什么性格？

"侍奉活动……具体要做什么才好？"

我战战兢兢地询问。感觉比起疏通下水道，她逼我去当绑架犯的可能性更大。

"跟我来就是了。"

平冢老师把烟头按进烟灰堆成了小山的烟灰缸，迅速站起身来。没有任何说明和前兆的提议让我僵在了原地。

已经走到门口的平冢老师回过头来催促道："喂，快点。"

被皱着眉头的她狠狠瞪了一眼的我连忙追了上去。

×　　　×　　　×

这所千叶市总武高中的校舍结构十分奇特。

从上空俯视，与汉字的"口"或日文片假名的"口"很像，再加上下方的多媒体大楼，就构成了我校的鸟瞰图。

道路两边分别是教学大楼与特别大楼，加上二楼的连接走廊，形成了一个正方形。

校舍被四面包围起来的空地就是现充们的圣地——中庭。

午休时他们会男女一起享用午餐，然后打羽毛球促进消化。放学后会在染成金黄色的校舍前谈情说爱，沐浴着海风看星星。

真是欺人太甚！

在旁人的眼中，他们努力出演的青春偶像剧只会让人感到阵阵心寒，而我也只能分配到"树"之类可有可无的角色。

平冢老师踏过亚麻油毡地板，向特别大楼走去……

我有一种不祥的预感。

毕竟说起侍奉活动就没什么好事。

"侍奉"这个词很少出现在日常生活中，通常只能用于某些特定的情形，例如女仆侍奉主人。如果是这种侍奉，我一定会吼出"Welcome! Let's party! (热烈欢迎！让我们来狂欢吧！)"，但现实总是不尽如人意。不，自掏腰包的话还是能办到的，但花钱享受就谈不上什么梦想和希望了。总之，侍奉不是什么好东西。

（注："Let's party!"是游戏《战国 BASARA》的主角伊达政宗的口头禅。）

而且目的地还是特别大楼，摆明了是让我搬音乐教室的钢琴、打扫生物教室的垃圾或整理图书馆的藏书。我还是抢先一步表明底线吧。

"老师，我的腰上有旧疾……记得是叫 Her、Her、Herpes（疱疹）？就是那种病啦……"

"你想说的是 Hernia（疝气）吧？用不着担心，我不会让你干体力活的。"

平冢老师鄙夷地瞧着我。

嗯，那就是搜集资料之类的事务工作吧。从某种意义上来说，这种单调的工作比体力劳动还辛苦，就像是填好挖开的洞，又在同一地点继续挖洞的拷问一样。

"其实我有进教室就会死的病……"

"你以为你是某位长鼻子狙击手啊？草帽海贼团吗？"

原来你还看少年漫画！

算啦，反正我也不讨厌一个人埋头苦干的工作。只要关掉心里的开关，进入"我是机器"的模式就没问题了。照这样下去，说不定我还会开始追求机械身体，直到变成一颗螺丝。

（注：出自漫画《银河铁道 999》。）

"到了。"

老师在一间不起眼的教室前停下了脚步。

门牌上一个字也没有。

我好奇地打量着这间教室，老师却一把推开了门。

桌椅被胡乱堆放在教室角落，难道这里是被当成仓库使用的吗？这里与其他教室的区别只有这一点，除此以外就是一间没有过多装饰的普通教室。

但是，我之所以会感到不同寻常的气息，大概是因为坐在教室里的一位少女。

少女正在夕阳下读书。

眼前的景象美得有如一幅画，给人以即使世界终结，她也会保持着这副模样静静地坐在这里的错觉。

看到这一幕的瞬间，我身体僵硬，大脑也停止了运转……

我不知不觉地看痴了。

察觉到有客人来访，少女将书签夹进口袋书抬起头来。

"平冢老师，我应该拜托过你，进来的时候要敲门。"

精致的五官，柔顺的黑发，虽然与班上那些庸俗的女生穿着一样的制服，看起来却全然不同。

"就算敲门，你也不会回应吧。"

"那是因为我还没来得及答应，老师就自作主张地进了教室。"

少女对平冢老师投去不满的目光。

"然后呢，这个傻站着的家伙是谁？"

那双冷冰冰的眼瞳忽然转向了我。

我认识这位少女。

她是二年J班的雪之下雪乃。

当然了，我只知道她的名字和长相，从来没有与她交谈过。不过这也是当然的，我在学校本来就很少与人说话。

　　总武高中设有九个普通班与一个国际班。国际班通常比普通班的偏差值高出两三个档次，成员大多是海归子女或准备留学的学生。

　　在这个闪亮——不，应该说是自然而然地引人注目的班级中，雪之下雪乃也是一位大放异彩的学生。

　　无论是单元测验还是模拟考试，成绩优秀的她总是稳拿年级第一名。

　　另外，还有一点不得不说，她的惊人美貌也使她每时每刻都受到众人的瞩目。

　　简而言之，雪之下雪乃就是本校第一美少女，无人不知无人不晓的大名人。

　　而我呢，只不过是个默默无闻的平凡高中生。

　　所以，她不认识我也没什么好伤心的，但"傻站着"这个形容词还是让我有些受伤。伤到我都想用"说起来以前好像有种叫Nubo的糖果，最近都找不到了呢"来逃避现实。

　　（注：日语中"傻站着"与Nubo的发音相似。Nubo是日本上世纪八九十年代流行的巧克力。）

　　"他叫比企谷，希望加入社团。"

　　在平冢老师的示意下，我向她点头打了个招呼。按照这种发展来看，接下来该轮到我做自我介绍了吧。

　　"我是二年F班的比企谷八幡。呃……喂，加入社团是怎么回事？"

　　希望我加入什么社团呀？这里又是什么社团？

　　也许是猜到了我还没有说出口的疑问吧，平冢老师开口解释道。

　　"作为对你的惩罚，我命令你加入这里的社团。禁止反驳争辩抗议质问和顶嘴。让头脑冷静一下，给我好好反省。"

平冢老师没有给我任何还嘴的机会，如同连珠炮般下达了判决。

"正如你所见，这家伙已经无药可救了，所以是个与孤独为伴的可怜虫。"

这也能看出来？

"让他学会如何与别人来往，说不定还有一线希望。可以收下他吗？我想委托你改变他乖戾孤僻的性格。"

老师转头对雪之下说道。

而雪之下表情厌烦地开口说道："如果是这样的话，请老师暴揍他一顿就够了。"

好可怕的女人。

"可以的话我也想这么做，但最近风声比较紧，上面不允许对学生的肉体施加暴力。"

难道对精神施暴就没问题吗？

"我拒绝。看到这个男人邪恶下流的眼神，我感到自己的人身安全受到了严重威胁。"

雪之下拉起根本就不凌乱的领子，对我怒目而视。

谁要看你保守的发育啊！……不，我是说真的啦。真的没有看，千真万确。只不过是瞥到时被吸引了一下而已。

"你放心吧，雪之下。正是因为这个男人的眼神和本性都没救了，他才会对风险评估与明哲保身小有心得，绝对不会做出违反刑法的错事。你就相信他的脓包性格吧。"

"整段话没有一句是夸奖我的……而且不对吧？这与风险评估和明哲保身没有关系，请称之为'懂得按照常识做出判断'。"

"脓包吗……原来如此……"

不仅没有听我说话，还认同了老师的说法呢……

不知道是平冢老师的劝说奏效，还是我的脓包性格博得了她的信任——总之，以不管是哪一种都有违我本人期望的形式，雪之下得出了结论。

"好吧，既然老师这样请求，我也不好推辞……就这么办吧。"

雪之下不情不愿地说着。老师则露出了心满意足的微笑。

"这样啊。那接下来的事就拜托你喽。"

说完这句话，老师就快步走出了教室。

只剩下我僵立在原地。

老实说，这样还不如任我自生自灭比较轻松。对我来说，像往常那样独来独往才最自在。

钟表秒针滴滴答答的声响格外迟缓而又响亮。

喂喂，这是真的吗？突然就进入了恋爱喜剧的桥段？我好紧张啊。

我对这种情景绝无怨言。突然回想起初中时的青涩回忆。

放学后两人独处的教室内。

微风拂动窗帘，夕阳斜斜地洒了进来。一名少年大胆表白。直到现在，我还一清二楚地记得那个女孩的声音。

"我们做朋友不好吗？"

啊，不对，这根本就是失败的回忆。而且从那以后别说做朋友了，我们连一句话都没再说过。害得我差点以为朋友之间用不着交谈呢。

受到了严酷训练的我不会轻易掉进陷阱。女生就是只会对帅哥（笑）和现充（笑）感兴趣，并只跟那些家伙搞不纯男女交往的生物。

换言之，她们是我的敌人。

为了不让自己再次受伤，我努力至今。倘若不想让自己掉进恋爱喜剧的漩涡，最好的办法就是让对方讨厌我。杀敌一千，自损八百。为了守护尊严，我宁可牺牲好感度！

所以，我用对雪之下的怒视取代了客气的招呼。野兽都是用眼神来杀人的！

嗷呜呜呜呜——

雪之下以看到脏东西似的眼神瞥了我一眼。她将杏眼眯成一条缝，冷冷地叹了口气。接着，她又用溪水般凛冽清脆的嗓音对我说。

"别在那种地方发出奇怪的呻吟声，坐下来怎么样？"

"咦？啊，好的。对不起。"

哇啊，那是什么眼神？真正的野兽？

刚才那一瞥至少能杀掉五个人吧，就连松岛〇子都会被她啃到连骨头都不剩，我居然会不由自主地向她道歉……

（注：松岛奉子是日本歌手、女演员，几次遭受野生动物袭击都大难不死。）

看来不需我恐吓她，雪之下早就对我虎视眈眈了。

心中不安的我挑了张空椅坐下。

在这之后，雪之下像是对我失去了兴趣，又翻开手里的那本书。教室里只有沙沙的翻书声。

由于封面被遮住，我不知道她在读什么书，但应该是文学类作品。从她给人的印象来看，多半是塞林格、海明威或托尔斯泰之类的吧。

雪之下是个亭亭玉立的大小姐，举手投足都有优等生的风范，而且还是个不折不扣的美少女。

可是，也正如这类人的宿命，雪之下雪乃与周围的人格格不入。就好像她的名字，是埋在积雪深处的白雪。虽然皎洁美丽，但又高不可攀，只能在心里惦记那份美好。

老实说，我没想到自己会以这种诡异的方式接近她。要是向朋友炫耀的话，他们一定会很羡慕吧。可惜我根本没有能向其夸耀的朋友。

那么，我该与这位美少女殿下做点什么呢？

"有事吗？"

或许是因为我盯着她看了许久，雪之下不悦地皱起眉头望着我。

"啊，抱歉。我在想为什么会变成这样……"

"什么意思？"

"呃，因为老师只是乱七八糟地说了一通，就把我带到了这里。"

听到我这么说，雪之下没有咋舌，却"啪嗒"一声阖上了书，然后以瞧着垃圾般的眼神瞪着我，又无奈地叹气说：

"是吗，那来玩个游戏吧。"

"游戏？"

"没错。猜猜这里是什么社团的游戏。好了，说说看这里是什么社团呢？"

与美少女在密室里玩游戏……

眼下的种种迹象都让人浮想联翩，但雪之下散发出来的气息并不诱人，而像一把磨快的利刃——锋利到只要输掉这场游戏，人生就会完蛋的程度。恋爱喜剧的氛围死到哪里去了？这样不就成了《赌博默示录》吗？

我屈服于她的魄力，一面擦拭冷汗，一面环顾教室寻找线索。

"没有其他社团成员吗？"

"没有。"

我很怀疑这个社团能否维持下去。

结果，没有任何提示——不，等下。反过来想，这就是提示吧。

我可不是吹牛，从小就没什么朋友的我特别擅长自娱自乐，尤其对解谜之类的颇有信心。如果参加高中生智力抢答，我也有把握获胜，只是凑不齐队友，没法参赛就是了。

到目前为止，我了解到的事只有几件。只要把它们串联在一起，就能顺理成章地得出答案了。

"文学社吗?"

"哦? 你为什么会这么认为?"

雪之下颇感兴趣地反问。

"没有特殊环境和特殊器材，人数不够也不至于废社。换言之，这个社团不需要社团经费，再加上你刚才一直在读书，所以答案从一开始就摆在眼前。"

我的推理真是完美无缺。看来解决这样的谜题对我来说不费吹灰之力，都用不着那个戴眼镜的小鬼嚷着"啊咧咧，好奇怪哦"来提示我。

雪乃小姐似乎也深感佩服，她轻轻地叹了口气。

"猜错了。"

她马上冷笑一声，好像完全没把我放在眼里。

"呵呵。"我的火气有点上头了呢! 到底是哪个家伙说她品行端正堪称完美超人的? 她根本就是恶魔超人啊!

(注: 恶魔超人是在漫画《筋肉人》中登场，将灵魂出卖给大魔王撒旦的超人的总称。完美超人也出自该作。)

"那这里是什么社?"

我的语气略显急躁。雪之下却悠然自得地提醒我游戏还在继续。

"那么，我给你一个明显的提示吧。我现在所做的事就是

© ponkan⑧

社团活动的内容。"

总算有提示出现了。不过，听了提示我还是想不出答案，这样下去只能联想到之前猜过的文学社。

不对，等一下。等等，稍微等等，冷静下来。保持冷静啊，比企谷八幡。

她刚才说了"社团成员只有我一个"。

尽管如此，这个社团还能生存下去。

那就说明这个社团有幽灵社员，还是说幽灵社员其实是真正的幽灵？然后就发展成我和那位幽灵美少女的恋爱喜剧。

（注：幽灵社员是指加入社团但从不参加社团活动的人。）

"超自然研究社！"

"只有可能是这个啦！"

"绝对是超自然研究社！"

"猜错了……哼，幽灵什么的也太蠢了吧。这世上哪有那种东西。"

才、才没有什么幽灵呢！人、人家也不是因为害怕才这么说的——她并不是卖萌，瞧着我的眼神还是万分鄙夷，仿佛在说"白痴，去死吧"。

"我投降了。完全猜不到啊。"

这怎么可能猜得到！拜托你出点简单的好吗？像是"家里突发大火，泪水泛滥成灾，打一物。"不对，这样不就成了单纯的火灾吗……而且还不是猜谜，根本就是脑筋急转弯。

（注：日本一个有名的谜语是"上有洪水，下有大火，打一物"，答案是"浴池"。）

"比企谷同学，你有几年没和女生说过话了？"

突然，一个毫不相关的问题打断了我的思绪。

这家伙真是没礼貌。

我对自己的记忆力很有自信。其他人早就忘光的琐碎日常对话我也记得清清楚楚，所以班上还有女生把我当成了跟踪狂。

根据我优秀的海马体所称，我上一次跟女生对话是在两年前的六月。

女生："唉，你不觉得今天超热吗？"

我："是很闷热呢。"

女生："咦？……哦，嗯，是啊。"

内容如上所述。事实上那个女生不是问我，而是在跟坐在我斜后方的女生讲话。

越是讨厌的事情，人们往往记得越清楚。如今我每次在半夜回想起这件事，都有一种想裹着棉被发出"哇啊啊啊啊啊啊"的号叫声的冲动。

在我沉浸在痛苦的回忆中不能自拔时，雪之下高声宣布：

"富人本着慈悲之心救济穷人，人们会把他们称为志愿者（Volunteer）。例如对发展中国家提供经济支援，为流浪汉提供饭菜，为不受欢迎的男生提供与女生说话的机会。向有困难的人伸出援手，就是我们这个社团的活动内容。"

（注：日语中的"侍奉"也有服务和做义工的意思。）

不知不觉间，雪之下已站起身来，自然而然地从上方俯视着我。

"欢迎来到侍奉社。"

听到这句没有半点欢迎之意的欢迎词，我的眼眶不禁湿润起来。

岂料雪之下对已经受到沉痛打击的我，又补上了致命一击。

"平冢老师说过，优秀者有义务拯救可怜虫。既然她把你交给我，我就会负责到底，我会帮忙矫正你的问题。尽情感谢我吧！"

她是想表达"noblesse oblige（位高则任重）"吗？用日语来解释，意思就是贵族应尽的义务。

抱着双臂的雪之下的确很像贵族。考虑到成绩和容貌，说她是贵族也没什么不妥。

"这个女人……"

但是，有些话还是要跟她说清楚才行。就算说上一千零一夜，我也要让她明白，我不需要她的怜悯。

"虽然由我自己来说有点难以启齿，不过我也算是优秀人才哦。在文科的实力测试中，我的语文成绩可是年级第三！长相也算不错！除了没有朋友和没有女朋友，基本可以归类到第一档次！"

"我怎么觉得最后那句是致命的缺陷呢……亏你能自信满满地说出这种话，从某种意义上而言也很了不起……真是怪人，都快让我不寒而栗了。"

"少罗唆，我才不想被你教训呢，怪女人。"

这个女人真的很奇怪。至少与我听说的——不，我不记得自己有跟别人聊起过，所以一定是我不小心听到的——对雪之下雪乃这位女生的描述相差甚远。

好吧，我承认雪之下是"冰山美人"。

她的脸上浮现出冷冷的微笑。用比较艰涩的语言来形容就是"残虐的笑容"。

"哦？在我看来，你之所以会孤身一人，应该是因为无药可救的人品与乖僻别扭的性格吧。"

雪之下握起拳头，发表她的高谈阔论。

"首先我要为无处容身的你找到一个可去之处。知道吗？人只要有容身之处，就不必化作星星，迎来燃烧殆尽的悲惨结局。"

"《夜鹰之星》？有点冷门了吧。"

如果不是文科语文年级第三又有文学素养的我，一定听不懂刚才那句话是在讲什么。更何况我本来就很喜欢那个故事，所以记得很清楚。因为故事的内容过于悲伤，导致我读了之后难过得直掉眼泪，特别是里面那只夜鹰被所有人嫌弃的情节。

我的反驳使雪之下惊愕地圆瞪双眼。

"真是没想到啊。普通水准以下的男高中生竟然也会读宫泽贤治。"

"你刚才这句话简直就是瞧不起我。"

"抱歉，我说过火了。应该是普通水准未满才对。"

"过火的意思是夸奖过度吗！你没听到我是年级第三名啊！"

"拿到区区第三名就骄傲自大，由此可见你没什么水平。更何况想用一门考试成绩来证明自己有多聪明，这种想法本身就很低能。"

冒犯别人也要有个限度。在我的记忆中，只有某位赛亚人的王子会把初次见面的人当成贱民对待。

"不过，《夜鹰之星》倒是和你挺般配的，尤其是夜鹰的外貌。"

"你是想说我的长相不方便是吗？"

"我可没这么说。因为真相有时也会伤人。"

"这和说出来有什么不同！"

雪之下面色沉重地拍了拍我的肩膀。

"不要逃避真相。面对镜子里的现实吧。"

"不不不，虽然自己说出来有点不好意思，但我还算是五官端正，就连我妹妹都评价说'哥哥要是没那么多废话，其实还不错'，不如说我只有长相拿得出手。"

不愧是我的妹妹，真有眼光。所以反过来说，只是这所学校的女生不识货而已！

雪之下像是有点头疼般地按住太阳穴。

"你是白痴吗？审美本来就有主观性。换句话说，在这个你我二人独处的空间里，只有我说的话才是正确的。"

"明、明明是乱来的理论，但为什么会有种能说通的感觉……"

"而且，先不论你长相如何，只要你还是一双死鱼眼，给人的第一印象就很差。问题不在于五官，而是你的表情过于丑恶。这就是你内心扭曲的最佳证据。"

说出这番话的雪之下长相固然可爱，但由内而外透出某种恶毒。她的眼中完全就是犯罪者的眼神。要我说的话，我们两个都不可爱。

话说回来，我的眼睛真的那么像鱼眼吗？

如果我是女生的话，应该会积极地解释为"咦？人家看起来像美人鱼喔"。

对逃避现实的我毫不在意，雪之下拨了一下肩头的长发，以胜利者的姿态高傲地说：

"我不欣赏你靠成绩或长相之类肤浅的表象来获得自信的做人之道。还有，你的死鱼眼也让人讨厌。"

"别再对我的眼睛指点点了！"

"也对，反正也无药可救了。"

"我认为你应该向我的父母道歉。"

我的脸绷了起来。雪之下也有所反省地沉下脸色。

"的确是我太过分。最痛苦的人其实是你的父母才对。"

"够了，是我错了。不，是我的长相对不起这个世界。"

听到双眼含泪的我这样请求，雪之下总算不再咄咄逼人。

我这才醒悟到，对这个女人说什么都没有用。我想象着自己盘腿坐在菩提树下追求超脱的境界，雪之下却忽然开口说：

"好，对话模拟结束。你能与我这样的女生交谈，面对大多数人都不成问题。"

雪之下用右手抚摸长发，脸上浮现起充满成就感的表情。然后，她又露出了甜美的微笑。

"从今往后，你就带着这份美好的回忆，一个人坚强地活下去吧。"

"你的解决方法真是邪道得可以。"

"不过，这样还不算是实现了老师的诉求……要想办法从根本上解决问题……比如你去退学算了？"

"这不叫解决问题，而是鸵鸟把头埋进沙子里的心态。"

"哦？你还知道自己是鸵鸟啊？"

"对啊，不讨人喜欢这点我还是……你好烦！"

"吵死了。"

好不容易扳回一城的我奸笑起来，雪之下却回以"你这种人还活着干吗？"的凶恶瞪视。这家伙的眼神真的超可怕。

教室里忽然安静得让人耳朵发痛。不过也有可能是被雪之下大肆攻击后，我的耳朵真的在痛。

大咧咧地拉开教室门的声响打破了室内的死寂。

"雪之下，我要进来喽。"

"麻烦您先敲门……"

"抱歉抱歉。不用在意我，你们继续。我只是顺路过来看看情况。"

平冢老师对发出一声叹息的雪之下落落大方地一笑，靠在了教室的墙壁上。接着，她来回看向我和雪之下。

"看起来你们相处得不错嘛，那就好。"

你是从哪得出这种结论的？

"比企谷，你还是矫正自己扭曲的性格和死鱼眼，努力重新做人吧。我先走一步。放学后你们也早点回家。"

"请、请等一下！"

为了拦住老师，我抓住了她的手。下一秒——

"好痛！好痛啊啊啊啊啊！投降！我投降啦！"

我的手臂被掰弯了。听到我拼命求饶，她才松手。

"搞什么啊，原来是比企谷。不要随便站在我的身后，我可是绝对会出手的。"

"你是骷髅13吗？而且是'不小心出手'才对吧！不要随随便便就出手啦！"

（注：《骷髅13》是漫画大师斋藤隆夫的代表作。主角Duke东乡最厌恶有人站在自己身后。）

"你的要求还真多……然后呢，找我有什么事？"

"我还想问你呢……什么叫重新做人？不要把我说成少年犯一样。而且这里到底是干什么的？"

对于我的提问，平冢老师"嗯"了一声，用手摩挲着下巴陷入沉思。

"雪之下没跟你解释吗？直截了当地说，这个社团存在的目的就是促进自我改变，解决学生的烦恼。我会把自己认为需要改变的学生带到这里来。你把它当成是'精神时光屋'就行

了，又或者比喻为《少女革命》比较好理解呢。"

（注："精神时光屋"出自上世纪八九十年代的《七龙珠》，《少女革命》是1997年的动画作品。）

"听上去更难懂了，而且例子还暴露了自己的年龄……"

"你刚才有说什么吗？"

"我什么都没说。"

被老师寒冷刺骨的视线射杀的我缩起肩膀，清了清嗓子。看到我这副样子，平冢老师叹了口气。

"雪之下，看来想让比企谷重新做人可不是一件容易的事。"

"关键他本人没有意识到自己的问题。"

雪之下冷冷地回应面色难看的老师。

这种让人坐立不安的感觉是什么？就好像小学六年级的我私藏黄书的事暴露之后，被父母狠狠教训时一样。

不，现在不是想那种事的时候。

"那个……从刚才起你们就热情高涨地说要我重新做人还有《少女革命》什么的，但我自己没想过要改变……"

我话音刚落，平冢老师就歪起脑袋。

"啥？你在说什么啊！你要是不改变的话，以后怎么在社会上立足呢？"

雪之下像是在讲"反对战争！放下核武器！"一样的大道理，一本正经地盯着我。

"从旁人的角度来看，你的社会适应性远远落后于其他人。难道你就不想改变这样的自己吗？还是说你根本没有上进心？"

"不是啦。我只是不想让别人来告诉我是否该改变'自己'。更何况只要别人一句话就能改变的话，那就不能称之为'自己'了。所谓的'自己'应该是指……"

"你只是身在此山中，无法客观地看待自己。"

我本想借用笛卡尔的名言来证明自己，顺便耍个帅，却被雪之下打断了……那句话真的很帅气哦。

"你这样不过是逃避现实。人不改变就无法前进。"

雪之下斩钉截铁地断言。这家伙为什么总是说话带刺？她的父母是海胆吗？

"逃避又有什么不好。翻来覆去地要求别人改变，不觉得很可笑吗？你会对着太阳大吼'从西边下山很刺眼，会给大家添麻烦。明天起请从东边落山'吗？"

"这是诡辩。请你不要转移论点。更何况不是太阳在转，而是地球在转。你连地心说都不知道吗？"

"我只不过是打个比方！非说我诡辩的话，你不也在诡辩吗？改变这种事情，说到底还是在逃避现状。究竟是你逃避还是我逃避？如果真的不想逃，那就坚定不移地守在原地。为什么不能肯定现在和过去的自己？"

"那样解决不了烦恼，也没法拯救任何人。"

在说到"没法拯救"时，雪之下愤怒的表情有种阴森森的感觉，让我不禁害怕起来，差点就喊着"对对对对对不起"向她道歉了。

话说回来，"拯救"不是普通高中生随口就会说出来的词吧。虽然不至于百思不得其解，但我仍然不懂是什么把她逼到了这个地步。

"你们两个都冷静一点。"

为了缓和一触即发——或者说从一开始就没轻松过的氛围，平冢老师平静地说道。但仔细一看，她的脸上却挂满了开心的笑容。

"越来越有趣了。我最喜欢这种情节。有种JUMP的感觉，

很不错嘛。"

（注：《周刊少年JUMP》是日本发行量最高的漫画杂志，办刊主旨是"友情、努力、胜利"。）

好像只有老师在兴奋。她明明是大龄女青年，眼神却变成了少年。

"古往今来，双方的正义有冲突时就要以决战来分出雌雄，这可是少年漫画的惯例。"

"可这里是现实世界……"

我的话对她来说就是左耳进右耳出。老师哈哈大笑，向我们高声宣布：

"那就这么办吧。从现在开始，你们各自去引导迷途的羔羊，用独特的方式来拯救他们，之后再证明你们的正义。谁对侍奉他人更有心得？Gundam Fight! Ready? Go!"

（注：这句话是《机动武斗传G高达》中擂台赛开始时的口号。）

"我拒绝。"

雪之下毫不犹豫地答道。她的眼神比刚才瞪我时更加冰冷。不过，在这个问题上，我和她立场一致，所以也点头表示赞同，更何况我也没有经历过G高达那个时代。

听到我们否定的答复后，老师不甘心地咬起大拇指。

"啧，'徽章战士，战斗吧'会不会更好理解呢……"

"问题不在这里。"

徽章战士很冷门的……

（注：《徽章战士》是上世纪九十年代与游戏同期上市的漫画作品，后来也推出过动画与卡牌。）

"老师，请不要做出有违年龄的举止。您这样很丢脸。"

雪之下对老师抛出了有如冰锥般冰冷尖刻的批评。这句话似乎让老师恢复了冷静，羞得满脸通红。为了掩饰失态，老师清了清嗓子。

"总、总之！只有自己的行动才能证明各自的正义！我让你们比，你们就得比。所以你们两个没有拒绝的权利。"

"真是蛮不讲理……"

这家伙完全就是小孩子！只有胸部像成年人！

不过，反正比试只要随便玩玩，再用"人家不小心输啦，诶嘿嘿"来敷衍对方就行了。"重在参与"这个说法真是好用又好听呢。

但那个脑子里只有少年漫画，烦人的萝莉巨乳老太婆还在唠叨个不停。

"为了让你们全力战斗，我会准备一些奖品。赢家可以随心所欲地命令输家，这个怎么样？"

"随心所欲？"

随心所欲的意思就是想做什么就做什么吧……我咽下一口唾液。

雪之下忽然"喀哒"一声把椅子往后拖了两米，环抱自己的身体做出防御姿势。

"我有种与这个男人为敌就会贞操不保的危机感，所以我拒绝。"

"这是先入为主的偏见！高二男生也不是时时刻刻都在想猥琐下流的事情！"

还有很多事可想啊，比如……呃，我有在想啦……世界和平……之类的？嗯，然后就想不到了。

"没想到雪之下雪乃也会有害怕的对象……你没有自信赢过他吗？"

平冢老师奸诈地问道。雪之下露出不怎么高兴的表情。

"好吧。虽然我不屑于接受这种无聊的挑衅，但还是答应吧。顺便替老师解决掉这个男人。"

哇，雪之下好像很好胜嘛。你问我她怎么好胜？从"我已经看穿了你的意图，但……"这种思路就能听得出来。还有，"解决掉"是什么意思？好可怕啊，不要这样。

"那就这么定啦。"

平冢老师咧嘴一笑，没把雪之下的眼神放在心上。

"咦，那我的意见呢……"

"看你的表情就知道没必要多问了。"

这样啊……

"胜负的裁判是我，所以标准也是我的主观意见。你们不必多想，放轻松一点，尽量努力吧。"

老师甩下这句话，便离开了教室。教室里只剩下我与脸色难看的雪之下。我们之间当然没有任何对话。

在鸦雀无声的教室中呆坐半晌，我终于听到了像是坏掉的收音机的声音。这是铃声响起的前兆。

一听就知道是合成电子音的旋律流淌而出，雪之下"啪嗒"一声阖上书。看来是放学的铃声没错。

雪之下干脆利落地开始收东西。将手里的文库本小心地塞进书包后，她站了起来，然后又瞥了我一眼。

不过，她只是瞧了瞧，很快就一言不发地走掉了。没有说"辛苦了"或"我先走了"，而是潇洒地扬长而去。

她过于冷淡的态度让我找不到开口的机会。

最后只剩下我孤零零的一个人。

今天是我的灾难日吗？被老师叫到教工室，被迫加入神秘社团，又被只有长相可爱的女生大肆辱骂，心灵受到严重打击。

与女生交谈不是应该让人小鹿乱撞才对吗？为什么我的心情会如此低落？这样还不如跟我平时聊天的布偶讲话呢。反正布偶不会反驳，还总是对我笑容满面。为什么我不是天生的抖M啊？

还有，为什么我要莫名其妙地与雪之下决出胜负？我可不觉得她会输给我。

社团活动和决斗之类的只要从旁观望就够了。在我的字典里，社团活动就是观赏一群女生玩乐队的DVD，仅此而已。

这样做就能增进感情？别开玩笑了。那家伙肯定还会若无其事地命令说："你的嘴好臭，麻烦你屏住呼吸三小时。"

青春果然是骗人的。

为了将高三那年夏天在全国大赛中输掉的比赛变成美好回忆而流泪；为了安慰高考落榜开始复读的自己，宣称"挫折也是人生的经验"；为了欺骗不敢向喜欢的人表白的自己，佯装是为对方的幸福才主动退出。

还有什么例子呢？对了，像是遇到这种让人火大的刻薄女生就说她是傲娇，还对永远不可能到来的恋爱喜剧心存幻想。

我认为那篇作文根本没必要重写。青春果然是充满了欺骗与谎言的大骗局。

『比企谷，不要顶着那双死鱼眼讲你的信条。』

『你是白痴吗？』

升 学 就 业 指 导 调 查 表

总武高级中学	2 年 F 班	
注音	Hikigaya　　Hachiman	
姓名	比企谷　八幡	
	男 · 女	
座位号	29	

请写下你的座右铭。

信条、原则和座右铭等等用不着大肆宣扬，而是应该深藏心底。

这就是我的信条。

你在毕业相册上"将来的梦想"这栏写的什么?

只有我没地方可写。

为了将来，你在做怎样的努力?

忘记过去的精神创伤。

老师的评语

看到符合你乖僻性格的信条，我就放心了。

毕业相册的事也是你的精神创伤之一吗?

我看你在高中的校园生活也在不断地制造创伤，这样下去会变成恶

性循环。劝你还是早点放弃吧。

第二章
无论何时雪之下雪乃都在贯彻自我

　　班会结束后我走出教室，平冢老师正等在外面。

　　她环抱双臂，叉腿而立的姿势像极了监狱守卫，要是再配上军装和鞭子就更像了。

　　反正学校这种地方本来就和监狱差不多，所以我的想象也不算夸张，感觉就像是恶魔岛或卡桑德拉那一类。世纪末的救世主快点出现吧！

　　（注：恶魔岛是美国加州旧金山湾内的监狱小岛，卡桑德拉是漫画《北斗神拳》中的监狱。）

　　"比企谷，社团活动的时间到了。"

　　我能感到自己一听见这句话，脸色就唰地变白了。糟糕，我会被强行带走。

　　要是被送进社团活动室，我的学校生活可就真的绝望了。那个名叫雪之下的天生女王根本就配不上"毒舌"这种可爱的属性，从她嘴里冒出的全是真正的爆言。别说是傲娇了，我看她只是个惹人厌的女人。

　　但平冢老师并没有顾虑我的心思，脸上浮现起不含丝毫感情的笑容。

　　"走吧。"

平冢老师说着，向我伸出手来。我闪身躲过，她又来抓我的手臂，我再次转身避开。

"老师……从尊重学生的自主性，提倡独立自主的教育观点来看，我想对您这种强迫学生的做法提出抗议。"

"很遗憾，学校是为了让你适应社会的训练场。进入社会之后，你的意见才没有人听。所以还不如从现在起适应逆来顺受的职场生活。"

平冢老师不由分说地挥起拳头，我的腹部瞬间便凹陷下去，腹中气息极速上涌并从口中呼出。她没有错过我全身硬直的刹那，一把抓住了我的手。

"再逃的话，你知道会怎样吧？拜托你不要总是劳烦我的拳头。"

"以后只用拳头吗……"

我已经不想再体验这种疼痛感了。

刚走出几步，平冢老师像是忽然想起了什么似的说道：

"哦，对了。这样吧，如果你下次再逃，你和雪之下的比赛就直接判你不战而降，另外还要加上惩罚条例，你就别指望三年毕业了。"

看来无论是未来还是精神层面，我能逃的地方都被堵得死死的。

平冢老师走在我的身旁，高跟鞋笃笃地敲打着地面。此外，她还搂着我的胳膊，在某些人眼里说不定就像是陪着打扮成女老师的夜店小姐去店里。

只不过有三点不同。首先，我没有付钱；其次，我并不是真的被挽着，而是肘关节被架住；最后，我完全不开心，也没觉得飘飘欲仙。

尽管能和老师亲密接触，那也让我高兴不起来。毕竟接下

来我就要被送去那间社团活动室了。

"老师，我不会逃的，所以让我自己去就好了。你想，反正我平时都是一个人，自己去也没关系，倒不如说多一个人反而会让我难以平静。"

"别这么见外嘛。是我自发地想和你一起去。"

老师忽然露出了温柔的微笑。看上去与平时吊起眼角的样子完全不同，反差之大让我不由得心跳加速。

"与其等你逃跑后再咬牙切齿，不如拖着你去，这样我的心理负担也会少些。"

"这个理由不会太差劲吗？"

"你瞎说什么呀？虽然我也一万个不愿意，却还是为了帮你重新做人而陪着你。请你把这称为'美好的师生爱'。"

"这也能算爱？如果这就是爱，那我宁可不要。"

（注："如果……"这一句出自漫画《北斗神拳》。）

"从你刚才找的借口也能看出，你的性格过于扭曲了……扭曲过度的人的秘孔是不是也在相反的位置？你可别去修什么圣帝十字陵哦。"

（注：桥段同样出自漫画《北斗神拳》。）

你到底有多喜欢漫画……

"稍微坦率一点才讨人喜欢。如果总是冷眼看世界，还有什么快乐可言？"

"世上又不是只有快乐的事。若是只有开心就好这一种价值观，世界便得以成立，那就没法拍出让所有美国人都哭出来的电影了，况且在悲剧中往往也能找出快乐的片段。"

"你的发言相当典型。虽然现在有许多年轻人都个性扭曲，但你已经算是病态了。你果然患有高中二年级独有的疾病——'高二病'。"

平冢老师面带灿烂的笑容，为我下了诊断书。

"咦？说我病态会不会有点过分？另外，'高二病'是什么玩意？"

"你真的喜欢漫画与动画吗？"

平冢老师没有回答我，自作主张地提了个无关的问题。

"好吧，不算讨厌啦。"

"那你为什么喜欢？"

"这个嘛……它们毕竟是日本的文化形式之一，又是享誉全球的流行时尚，不接受反而不自然吧。况且市场越做越大，从经济层面分析也不容小视。"

"嗯。那一般的文学作品呢？你喜欢东野圭吾和伊坂幸太郎吗？"

"虽然有读过，不过我还是比较喜欢他们成名之前的作品。"

"你喜欢哪些文库的轻小说？"

"GAGAGA文库……还有讲谈社BOX，但我也不确定后者算不算是真正的轻小说。您这半天到底想问什么？"

"嗯……从消极的角度而言，你的确没有背叛我的期待。你是不折不扣的高二病患者。"

老师一脸无奈地看着我。

"所以说高二病到底是什么啦……"

"高二病就是高二病，是高中生常有的思想形态。像是认为乖戾一点会很有型啊，把'认真你就输了'之类的网络流行语挂在嘴上啊，提到畅销书作家或漫画家就说'我比较喜欢他成名之前的作品'。看不起大家都在追捧的流行，热情赞美一些小众的东西。不仅如此，他们还鄙视明明就是同类的死宅，常常装出看破红尘的样子，搬出一些莫名其妙的道理。用一个

词来形容，高二病患者就是一群令人讨厌的家伙。"

"讨厌的家伙……可恶！基本都说中了，我无法反驳！"

"哪里，我可是在表扬你哦。最近的学生一个比一个厉害，全都活得很现实。作为老师都没什么干劲了，感觉就像是在工厂流水线劳动的工人一样。"

"最近的学生吗……"

我不由得苦笑起来，这句被用到烂大街的台词又出现了。

正当我不耐烦地打算稍微反驳一句，平冢老师就直勾勾地盯着我的眼睛，耸了耸肩膀。

"我知道你有话想说，但我认为就是这种反应让你更像是标准的高二病患者。"

"这样啊。"

"请你不要误会，我是在认真地夸奖你。我喜欢不放弃独立思考的人，尽管你的个性扭曲。"

被人当面说出"我喜欢"，弄得我反而说不出话来，因为我实在不知道该如何回应这句难得听到的台词。

"在个性扭曲的你眼中，雪之下雪乃是个怎样的人？"

"我讨厌她。"

我毫不犹豫地回答。因为我真的从心底里认为她是个讨厌的家伙，几乎与"还是不要改成水泥路比较好哦"的嘲笑差不多。

【注：出自宫崎骏动画《侧耳倾听》，女主角将《乡村路带我回家（Take Me Home, Country Road）》改成了"水泥路（Concrete Road）"，被男主角笑话了一番。】

"是吗?"

平冢老师苦笑着说。

"雪之下是个非常优秀的学生……但每个人都有各自的烦

恼。不管怎么说，她也是个温柔的女孩哦。"

从哪里能看出来？我在心里暗自咋舌。

"她一定也是有些病态吧。雪之下是个温柔正直的孩子，但这个世界既不温柔又不正直，想必一定活得很痛苦。"

"先不论她是否温柔正直，我很同意您对世界的看法。"

听到我这么说，老师得意洋洋地回望着我说：

"你们两个果然都有些别扭。我就是担心你们没法融入这个社会，才把你和她凑在一起。"

"那里该不会是隔离病房吧？"

"也许是吧。不过，我也很喜欢像你们这样有趣的学生。说不定就是因为这样，才会把你们绑在身边。"

老师乐呵呵地笑了起来，但扣住我胳膊的动作并没有松懈，这种格斗技巧多半也是受到了漫画的影响。我的手肘不停地发出咯吱咯吱的可怕声响。

"呼——"手臂被彻底控制，就算是我也很难逃脱。尽管不甘心，但也只能暂时享受一下这种触感了。

唉，真没办法。

×　　　×　　　×

来到特别大楼后，或许是不再担心我会逃走，平冢老师总算放开了我。但她离开之前对我使了个眼色，传达给我的不是难舍难分的温柔，而是"你应该知道逃跑的下场会是什么吧"的杀意。

我苦笑着进入走廊。

特别大楼的一角寂静无声，只有凛冽的空气在流动。

楼内明明有其他正在活动的社团，喧闹声却无法企及这个

角落。不知是因为布局问题，还是雪之下雪乃释放出来的神秘气场造成的。

我把手伸向教室门。老实说此时我的心情很沉重，但逃跑的后果更严重。

只要不把那女人的话当回事就行了。不要理解为两人独处，而是我和她各干各的。只要不和她扯上关系，我就不会觉得尴尬，也不会闹到不愉快。

从今天开始，我要实施"一个人也没什么好怕的"对策。第一，把别人一律视为路人。顺便一提，该对策没有第二条。

简单地说，我会觉得尴尬是因为"应该说点什么"和"应该和她搞好关系"这种强迫观念在作祟。

这就与没有人会对电车上坐在一旁的陌生人产生"糟糕，只有我们两个人耶，好尴尬"的想法一样。

这样想就没问题了。我只要默默读书就好。

推开教室的门，雪之下保持着与昨天分毫不差的姿势读着书。

"呃……"

打开门后，我却不知道该说点什么。总之，先在心里默默地打个招呼再靠近吧。

雪之下向我这边瞥了一眼，下一秒又将视线移回到文库本上。

"在这么近的距离，这么小的空间内，还能假装没看到我……"

彻底的忽视让我一瞬间以为自己是不是变成了空气，这样不就和平时教室里的我一样了吗？

"好奇怪的招呼。你是来自哪个部落的土著人？"

"你好。"

难以忍受对方的刻薄，我只好说出在幼儿园学到的问候语。于是，雪之下微微一笑。

这或许是雪之下雪乃第一次露出真正的笑容。我也借此机会发现她一笑嘴角就会出现一对小酒窝，还有若隐若现的虎牙之类无关紧要的细节。

"你好。我还以为你不会来了。"

说实话，她的笑容根本是犯规，而且还是马拉多纳"上帝之手"级别的犯规。事实摆在眼前，我不得不承认。

（注：著名足球明星马拉多纳曾以手进球，但他事后并不承认这是犯规，还宣称是上帝之手帮他进的球。）

"怎、怎么会？人家只是因为逃跑会输才来的！你、你可不要误会了！"

这样听起来就像是恋爱喜剧的对话了吧，只不过男女立场似乎正好相反。果然行不通吗？

雪之下好像并没有生气，或者说她压根儿没有把我的反应放在心上，淡淡地继续说：

"我还以为被那样说一通后，正常人都不会再来……莫非你是受虐狂？"

"才不是……"

"那你是跟踪狂？"

"也不对。喂，为什么你提问的前提都是我对你有好感啊？"

"难道没有？"

这女人竟然歪着脑袋露出惊讶的表情！虽然她的确长得可爱，但我完全没有被她俘虏的感觉！

"怎么可能会有！你这种自信过剩的反应还真让人吃不消呢。"

"是吗？我还以为你喜欢我呢。"

雪之下的表情并不意外。她如往常一样冷冷地说道。

她的长相的确讨人喜欢，连在学校里没有任何朋友的我都知道她的存在。雪之下雪乃毫无疑问是全校屈指可数的美少女。

尽管如此，这女人的自信心还是有些异常。

"你是怎样培养出这种乐天思维的？难道你每天都在过生日？还是说你的恋人是圣诞老人？"

（注：《恋人是圣诞老人》是女歌手松任谷由实的歌曲，圣诞节的必放曲目之一。）

不然她怎么可能自我感觉良好到这个地步？

要是放任雪之下这样成长下去，她一定会吃苦头。在发展到无可挽回的事态之前，还是替她矫正一下人格比较好。看来我体内善良的本性被她激发了。

我谨慎地挑选着委婉的词句来劝说她。

"雪之下，你很不正常，误会也要有个限度。我看你还是去做个前额叶切除手术吧。"

"说话时稍加修饰对你的人身安全有好处哦。"

雪之下面带微笑地看着我，但可怕的是，她的眼里没有一丝笑意。

不过，她没有骂我是人渣就已经算是表扬了。坦白点说，要不是因为她长着一张可爱的脸蛋，我早就一拳打上去了。

"嗯，在社会底层的比企谷同学眼里，我可能是不正常。根据我的经验，这也是理所当然的想法。"

雪之下呵呵一笑，自豪地挺起胸膛。这个动作由雪之下做出来也会感觉很不一样，真是不可思议。

"经验吗……"

雪之下这样讲，说明她的恋爱经历也很丰富吧。从她的外表来看，倒也不是不能理解。

"看来你的校园生活很愉快呢。"

听到我混杂着叹息的低喃，雪之下的身体缩了一下。

"是、是啊，没错，我的校园生活完美平和。"

说出这句话的雪之下不知为何视线飘向了一边。多亏了这个动作，我才发现她从下巴到脖子的曲线十分优美这种无聊至极的细节。

看到她这副样子，我才后知后觉地想到——不，如果我冷静下来，应该立刻意识到，这种高高在上的女人，怎么可能会有正常的人际关系？所以她也不可能过着完美无瑕的校园生活。

姑且还是问一下吧……

"你有朋友吗？"

听到我这么说，雪之下又扭开了脸。

"这个嘛，不如你先来界定一下怎样才算是朋友吧。"

"哦，已经不需要了。只有没朋友的人才会说出这种话。"

我就是最好的证明。

回到刚才的话题上，我也不知道怎样才算是朋友。真希望谁来向我说明一下，朋友和熟人之间有什么区别。

只见一次算朋友，每天见就算兄弟姐妹吗？Mi Do Fa Do Re Si So Ra O 吗？为什么只有最后的"O"不是音阶啊。给我统一一下啦。

（注：出自 NHK 的节目"Do Re Mi Fa 冒险岛"的片头曲。）

而且朋友和熟人之间的差异也很微妙，尤其是在女生的心中格外显著。即使是同班同学，似乎也分为同学、朋友和密友这几个层次。问题就在于她们究竟是按什么区分的？

算了，发散思维到此结束。

"不过，我多多少少也猜到了你没有朋友。"

"谁告诉你我没朋友了？退一万步讲，就算真的没有，我也没有任何损失。"

"这样啊。嗯，是哦是哦。"

我敷衍着瞪向这边的雪之下。

"话说你不是很招人喜欢吗，怎么会没有朋友呢？"

听到我这么问，雪之下皱起眉头。接着，她又不高兴地扭开脸，开口回应：

"你是不会懂的。"

或许是我的心理作用吧，雪之下看向一旁时，似乎微微地鼓起了腮。

我的确和雪之下不是一路人，所以完全不懂她的想法。就算她解释给我听，想要理解也得费点功夫。说到底，人和人之间还是无法互相理解。

但我对雪之下的孤独深有体会。

"我也不是不能理解你的意思。独来独往也能过得很快乐，反倒是一个人就活不下去的价值观让人受不了。"

"……"

雪之下瞥了我一眼，又转回正面闭上了眼睛，看上去好像在思索什么。

"自己明明喜欢一个人待着，对方却多管闲事地予以同情，这种人的确让人生气。我懂我懂。"

"为什么要把我和你这种程度的人相提并论……这才让人生气呢。"

雪之下说完，像是在掩饰自己的焦躁而撩起长发。

"好吧，我承认尽管你我的水平有天壤之别，但在喜欢独处的方面还是略有同感的——虽说我不想承认。"

雪之下最后补上一句话后，便自嘲般地微笑起来。她的笑容有些黯淡，但又无比平静。

"什么叫水平有天壤之别……我对孤独可是有着独到的见解，称呼我为'孤独大师'都不为过。就凭你也想跟我讨论孤独，真是让人笑掉大牙啊。"

"这种悲壮的可信度是怎么回事……"

雪之下惊愕又无奈地瞧着我。看到她露出这副表情，心满意足的我摆出胜利者的姿态。

"明明受人欢迎，还好意思跟我讨论谁对孤独更有心得。"

雪之下突然瞧不起人似的轻蔑地笑了。

"真是大脑短路的思维呢。你该不会是只靠脊椎的条件反射活下去的吧？你理解什么叫受人欢迎吗？对哦，你没有受欢迎的经验。是我考虑不周，不好意思。"

"拜托，你要考虑别人的心情就考虑得彻底一点！"

这就是所谓的阳奉阴违吗？果然是个讨厌的女人。

"那你说说看，什么叫受欢迎？"

听到我的提问，雪之下闭上眼沉思片刻，又轻轻地清了下嗓子，开口说道：

"对于从来没受过欢迎的你来说，这些话可能会比较难以接受。"

"我已经差不多习惯了，你放心吧。"

我如此回应后，雪之下做了个深呼吸。

反正我的心情不会比现在更糟了。刚才的对话已经让我感觉像是吃了一大碗拉面，肚皮都快被撑爆了。

"我从小就很可爱，所以身边的男孩子大多对我有好感。"

我投降。

这根本就是蔬菜加量、调料也加量。

但我既然夸下海口，就不能轻易退缩，还是强忍着听她讲完吧。

"最初大概是小学高年级的事吧。从那以后一直如此……"

雪之下的表情笼罩着一层比刚才更加浓重的阴霾。

算起来也有五年了，在此期间总是有异性对自己表现出好感，究竟会是怎样的感觉呢？

坦白说，十六年人生中始终被异性讨厌的我真的无法理解。这是情人节的时候，连妈妈的巧克力都收不到的我所不了解的世界，只能让我联想到放声大笑的人生赢家。她该不会只是在炫耀自己的经历吧？

不过，说来也有点道理。

尽管我们之间的差异有如正反向量，但我同意承受赤裸裸的感情宣泄也是件痛苦的事。

这就像一丝不挂地杵在暴风眼中，在年级大会上被批评一样。

又如独自一人被推到黑板前，团团围住的同学一边拍手，一边高喊"道歉！道歉！"的地狱景象也极其相似。

当时我真的很难过。我在学校只哭过那么一次。

算了，我的事不重要。

"总比被人讨厌强得多。是你太任性了。"也许是因为脑海中浮现起痛苦的回忆，我脱口而出。

雪之下轻叹了一口气。她看似在笑，实际上完全不是那么回事。

"我可没有想过要受欢迎。"这样断言之后，雪之下又低声补上了一句话，"但如果所有人都是真的喜欢我，或许也不错呢。"

"什么？"

因为她的声音细如蚊鸣，我不由得开口反问，可雪之下只是一脸认真地转头看我。

"如果你有那种很受女生欢迎的朋友，你会怎么看待他？"

"真是愚蠢的问题。我根本没有朋友，所以这只是杞人忧天。"我的回答强而有力，充满了男人的气魄。

连我都为自己张口就答的反应震惊了，雪之下似乎也一样。她目瞪口呆，傻乎乎地半张着嘴巴。

"有那么一瞬间，我还误以为你说了一句帅气的台词。"雪之下捂着太阳穴低下头，似乎是有点头痛，"那就假设有吧，你只要回答问题就好！"

"杀了他。"

雪之下连连点头，对我神速的答复十分满意。

"你瞧，你也会排除异己吧。这与没有理性的野兽是一样的——不，应该说是禽兽不如……我以前所在的学校也有很多这样的人。她们都是一群只能通过这种方式来证明存在意义的可怜虫。"

雪之下冷笑一声。

被女生讨厌的女生。的确有这样一类人。我这十年学也不是白上的，尽管不是班级的中心人物，但从旁观望也能略知一二。不，正因为我不是局中人，才能看得清楚。

像雪之下这样的女生一定是话题中心，所以才会有敌人从四面八方涌来。

从这点来看，不难想象她会有何种遭遇。

"上小学时，我的室内鞋曾被藏过六十次左右，其中五十次都是同年级的女生干的。"

"剩下的十次呢？"

"有三次是男生藏的，老师藏过两次，还有五次是被狗藏了起来。"

"狗藏的次数也太多了吧!"

简直超乎想象。

"我倒是觉得你应该感到惊讶的不是这个。"

"我只是假装没听见而已!"

"就因为这样，我每天都得提着室内鞋回家，后来笛子也不得不带回去。"

我不由得对一脸厌恶的雪之下产生了一丝同情。

才不是另有隐情。我怎么可能会因为小学时曾趁早晨教室里没人，偷换过笛子吹口的罪恶感就同情她呢? 单纯只是觉得她很可怜罢了。我是说真的。八幡从不撒谎!

"你也不容易啊。"

"是啊，很辛苦。谁让我这么可爱?"

看着雪之下露出自嘲似的笑容，我居然没有像刚才那样难以忍受。

"不过，这也情有可原，毕竟人无完人。人类是种软弱而又龌龊的动物，总是动不动就嫉妒别人，恨不得把对方推下悬崖。在这世上，越优秀的人就活得越辛苦。你不觉得这很奇怪吗? 所以我想要改变人类，改变这个世界。"

雪之下的眼神十分认真，像干冰一样的寒气快要把我冻伤了。

"你努力的方向真的很诡异……"

"是吗? 那也比像你这样麻木不仁地混日子要好得多。我……很讨厌你肯定软弱的做法。"

雪之下说完这句话，便转头看向窗外。

雪之下雪乃是个美少女，这是不容争辩的事实。尽管非常遗憾，但就连我也不得不承认。

在旁人眼中品行端正，成绩优秀的她完美得无可挑剔，但性格上的缺陷是她这块美玉的致命伤，而且这瑕疵并不可爱。

不过，她有这样的致命伤也是有理由的。

我不会全盘接受平冢老师的说法，但我相信雪之下雪乃也有普通人的烦恼。

掩饰自己的烦恼，假装合群来自欺欺人并欺骗周围的人，对她来说应该不是难事。毕竟这个世上有许许多多的人就是这样做的。

就像学习好的人考了高分，就会说是侥幸。美女面对羡慕自己的丑女，也只会强调最近的皮下脂肪在堆积等丑陋的一面。

可雪之下不会这么做。

她绝对不会对自己说谎。

这种处世态度值得称赞。

因为我也是如此。

这个话题告一段落后，雪之下的视线再次垂向文库本。

看到这里，我忽然产生了某种奇妙的心情。

我和她一定也有相似的地方。我斗胆这样想到。

如今的沉默也让我有种自在的感觉。

我感到自己的心跳有点加速，让我不禁想要吟诵出"心脏的跳动超越秒针的速度渐行渐远"的诗句。

——既然如此。

——既然如此，我和她……

"雪之下，既然如此，我来做你的——"

"对不起，没可能。"

"不是吧，人家的话还没说完呢！"

雪之下毫不犹豫地拒绝了我，同时还露出仿佛要吐出来的反胃表情。

这女人果然一点儿也不可爱。恋爱喜剧什么的，给我爆炸吧！

🐤 第三章
由比滨结衣总是看人脸色

"你该不会是对烹饪实践课也有心理阴影吧?"

我交出了翘掉烹饪实践课而被罚写的家政课补习报告,却不知为何被叫到了教工室。

这个场景真是既视感严重啊。凭什么我又要听您说教,平冢老师?

"老师,你不是语文老师吗?"

"我也是生活指导老师。鹤见老师把这件事全权委托给我处理。"

我望向教工室的一角,只见鹤见老师本人正在为观赏植物浇水。平冢老师向那边瞟了一眼,就转过头来看着我。

"首先我要问问你翘掉烹饪实践课的理由。请你简洁地说明一下。"

"哎呀,不就是因为那个嘛。我不明白和班上的同学一起上烹饪实践课有什么意义……"

"在我看来,你的回答也是莫名其妙。比企谷,小组活动有那么难吗?还是说没有哪个小组愿意让你加入?"

平冢老师相当认真地盯着我的脸,表情中还带有几许关怀。

"怎么会呢?你在瞎说什么呀,老师。这不是烹饪实践课

吗？换言之，不根据实际情况来做就没有意义了。我妈妈都是一个人做饭的哦。也就是说，单打独斗才是烹饪的正确道路！反过来可以得出结论，分成小组的烹饪实践课根本大错特错！"

"你说的是两码事。"

"老师！你的意思是我老妈做错了吗？不可原谅！多说无益！我要回教室了！"

放下狠话，我转身想要离开这里。

"臭小子，别想用假装发火来糊弄我。"

露馅儿了吗？平冢老师伸手揪起我的制服衣领，从后面把我拉了回去。我就像是被抓住的小猫一样，再次被迫与她面对面。唔，我应该一边说"诶嘿？闯祸啦"一边吐舌头，或许那样更容易蒙混过关。

平冢老师叹了口气，用手拍了拍我的报告。

"到'美味咖喱的制作方法'为止都还好。问题在于这后面的'1.将洋葱切成月牙形，再切成薄片后，加入调味料。正如浅薄的家伙也容易受到他人影响一样，切得薄一些更容易入味……'谁让你加入'讽刺'了？给我加入'牛肉'。"

（注："讽刺"的日文是"皮肉"，与"牛肉"只有一字之差。）

"老师，请不要露出'我的俏皮话说得很棒吧'的表情……连旁观者的我都觉得难为情……"

"我也不想读这种东西。用不着我来说吧，报告全部重写。"

老师露出无奈至极的神情，将香烟送到唇边。

"你还会做菜啊?"

平冢老师翻着我的报告，有些意外地问道。我还觉得惊讶呢。咖喱这种速食料理，如今的高中生应该人人都会做吧。

"是啊。为了我将来的生活，这也是理所当然的。"

"你也到了想要一个人搬出去住的年龄了吗?"

"不,我不是那个意思。"

"啊?"

平冢老师用目光质问,"那是什么?"

"因为下厨是家庭妇男必备的生存技能。"

听到我的回答,平冢老师涂过睫毛膏的眼睛连眨了两三下。

"你想成为家庭妇男?"

"这也是将来的选择之一。"

"不要用那对死气沉沉的死鱼眼来谈什么梦想。至少要闪耀着希望之光……作为参考我想问,你对未来的规划是怎样的?"

现场的氛围不适合说出"哎呀,我看您还是先担心一下自己的未来吧"这种话,所以我只好死心,给出了合情合理的回答。

"找所还算不错的大学继续念书。"

平冢老师点了点头,表示认同。

"嗯。然后呢,你准备从事什么样的工作?"

"随便找个漂亮的女强人结婚,最终努力的方向是让她包养我。"

"我在问你要从事什么工作! 回答我具体的职业!"

"我不是说过了吗? 家庭妇男。"

"那是小白脸才对! 小白脸可是最可怕的烂人! 他们会时不时地暗示结婚,等你回过神时,已经住进家里,而且还会复制一把备用钥匙把自己的东西全都搬来,分手之后连我的家具都一起搬走的超级大混蛋啊!"

平冢老师事无巨细苦口婆心地劝说道。她说话时势头太猛,现在不仅气喘吁吁,眼角还泛起了泪光。

好可怜……看到她这么不幸,我不禁想做点什么让她振作

起来。

"老师，您放心吧！我不会变成那样的。我会干好家务，成为小白脸中的小白脸！"

"再怎么超越都是小白脸啊！"

如今我正站在未来的梦想遭到否定的人生十字路口。在这个梦想被断然否定的关键时刻，我决定尝试以理服人。

"小白脸这个说法的确不好听，但我认为换成家庭妇男就是个不赖的选择了。"

"哦？"

平冢老师"咣当"一声拖动椅子，目不转睛地盯着我。那副姿势就好像在讲"你说来听听"一样。

"多亏了现代提倡男女平等，女性在社会上的地位越来越高也成了必然趋势。最好的证据就是平冢老师你就在做老师。"

"嗯，算是吧。"

看来开场白还算 OK，这样就能继续阐述我的理论了。

"但是，进入职场的女性越多，男性能获得的职位就越少，这是不言自明的道理。放眼古今中外，职位总是有限的。"

"嗯……"

"打个比方吧。假设某公司五十年前的劳动人口为一百人，男性占百分之百。当公司基于义务雇佣了五十名女性员工后，男性员工就不得不缩减为五十人。只是随便一算就这么夸张，再加上最近经济不景气，男性劳动者僧多粥少也是正常的。"

我说完这段话，平冢老师手撑下巴陷入了沉思。

"继续说。"

"公司需要的员工也比以前少了。电脑的普及和网络的流行让他们更注重效率，个人产能也有了飞跃性的提升，结果造成社会上还有人抱怨'你们太有干劲，我会很伤脑筋的'，不是还有工作分享（work sharing）之类的新词吗？"

"确实有这种概念。"

"而且家电业也有了举世瞩目的发展，无论是谁来操作都能拿出一定的成绩。男人也能熟练掌握家务。"

"喂，你等一下。"

老师打断了我热情洋溢的演讲。她轻轻地咳了一下，探头盯着我的脸。

"那、那些家电的操作可难着呢……未必能有你说的那么顺利。"

"只有老师不会用吧。"

"啊？"

平冢老师的椅子转了一圈，她的脚也飞踹向我的腿。疼死人了！而且她还恶狠狠地瞪着我。为了蒙混过去，我继续了刚才的话题。

"总、总之，我们拼命地创造出不用工作的社会，却命令别人去工作或抱怨自己没有工作，这不是很可笑吗！"

所以，完美的结论就是工作就输了，工作就输了。

"唉，你还是这么无药可救！"

老师长叹了一口气，但她又像是想起了什么事，咧嘴一笑。

"如果让你吃顿女孩子亲手做的料理，你的想法说不定会有所改变呢……"

说完这句话，她按着我的肩膀，把我向教工室外拖去。

"等、等一下！您这是要做什么？好痛！好痛啊！"

"在侍奉社学学勤劳的可贵吧。"

我的肩膀仿佛被老虎钳夹住一样咯吱作响，最后被一把推了出去。

我正要回过头去抱怨一句，教工室的门已经被无情地摔上

了。这就是她之前所说的"禁止反驳争辩抗议质问和顶嘴"吗？

在"干脆直接回去算了"的念头浮上脑海的瞬间，刚才被狠狠抓住的肩膀顿时一阵抽痛……逃走肯定又会挨揍。没想到在这么短的时间内，我的身体就形成了条件反射。人类的适应性还真是可怕啊。

无可奈何的我只好到最近刚刚加入的神秘社团——侍奉社露个脸。虽然名义上是社团，但我完全搞不懂它的活动内容是什么。另外，社长的性格也让人捉摸不透。

那个家伙到底是个什么样的人？

×　　　×　　　×

雪之下与往常一样在社团活动室里看书。

简单打个招呼后，我在离雪之下有一段距离的地方搬来一把椅子坐下，然后从书包里取出了几本书。

现在的侍奉社完全就是青少年阅读俱乐部。

所以说这个社团究竟是做什么的？之前说好的比赛呢？

突然，这个问题的答案与来访者微弱的敲门声一起到来。

"请进。"

雪之下停住了正在翻页的手，仔细地将书签夹进书里，这才转头冲着教室门应了一声。

"打、打扰了！"

门外的人似乎很紧张，嗓音听起来有点尖。

房门被"喀啦"一声打开，露出了一点点缝隙。一个女生从那道狭窄的缝里钻了进来，仿佛不想让别人看到她的动作。

女生齐肩的茶发有烫过卷发的痕迹，每走一步头发就会轻轻摇晃。她像是在找东西似的视线游移不定，一与我四目相对，就发出了"呀"的短促尖叫声。

我是神秘生物吗？

"为、为什么阿企会在这里？"

"呃，我是这里的社员。"

还有，阿企是说我吗？这家伙又是谁？

老实说，我对她一点儿印象也没有。

不过她很符合当下女高中生的风格，最近这种类型的女生很常见，就是那种歌颂青春的靓丽女孩。刻意提高的短裙，三颗扣子没扣的衬衫，挂在胸前的闪耀项链，心形的坠子，很明显是用脱色剂染成的茶色头发——浑身上下的打扮全都违反了校规。

我和这种类型的女生完全没有交流，或者说我和所有类型的女生都没有交流。

不过，这位女生似乎认识我，所以这种氛围让我不好意思开口问她"对不起，请问您是哪位？"

这时，我注意到她胸前的缎带是红色的。我们学校的制服有三种缎带颜色，用以区别三个年级。红色说明她和我一样是二年级学生。

我会马上就发现缎带的颜色，可不是因为一直在盯着她的胸部，而是偶然看到哦。

"算了，先坐下吧。"

我若无其事地搬来一把椅子劝她就座。我想强调一下，我不是用绅士的举止来掩饰自己的下流想法，而是发自内心的温柔。

哎呀，我还真是绅士呢。证据就是我总是穿着绅士服。

"谢、谢谢……"

她虽然有些疑惑，但还是在我的劝说下坐了下来。坐在正

面的雪之下与她视线相对。

"你是由比滨结衣同学吧?"

"你、你知道我吗?"

被叫出名字的由比滨结衣脸色变得明朗起来,能够被雪之下认出来似乎是她心中的某种荣耀。

"你知道的还挺多……该不会把全校学生的名字都记住了吧?"

"怎么会? 像你我就不认识。"

"这样啊……"

"你不必沮丧,这是我的失误。因为你渺小的存在让人很难注意到,更重要的是面对你,我总会忍不住移开视线,要怪就怪我的心太过软弱。"

"喂,你这是在安慰我吗? 你安慰人的方式会不会有点差劲? 结果就好像是我不对。"

"我没在安慰你,只是单纯的讽刺。"

雪之下瞧也没瞧我,利落地拨了一下披在肩头的长发。

"这个社团……好像很有趣呢。"

由比滨双眼炯炯有神地盯着我和雪之下。这孩子脑子里开满了花吗?

"我可不觉得……倒不如说你的误会让我很不愉快。"

雪之下冷冷地回望着她。由比滨连忙挥起双手。

"啊,该怎么说呢,我只是觉得特别自然! 呃,阿企也和在教室时的样子完全不同。我没想到他也会开口说话。"

"拜托,我当然会说话啊……"

我的交流能力看起来有那么糟吗?

"说起来,由比滨同学也是 F 班的吧?"

"咦,真的吗?"

"你该不会不知道吧？"

雪之下的提问使由比滨抖了一下。

糟了。

我比任何人都了解同班同学不认识自己的悲伤。所以，为了不给她留下难过的回忆，我决定想办法打个圆场。

"当、当然知道了。"

"干吗错开视线？"

由比滨一脸狐疑地盯着我。

"就是因为这样，你在班上才没有朋友的吧，阿企？总是形迹可疑，给人的感觉又很恶心。"

啊啊，我很熟悉这种鄙夷的目光呢。记得班上的确会有女生用看到脏东西的眼神上下打量我。看来她也是那群和足球社成员混在一起的家伙之一。

搞什么嘛，那她不就是我的敌人了吗？刚才真是浪费感情。

"真是碧池（Bitch）！"

我忍不住低声咒骂。由比滨听到，马上还嘴叫道：

"什么？你说碧池是什么意思！人家还是处……哇、哇啊啊！没、没什么！"

由比滨面红耳赤地摆起手，拼命掩饰刚才差点脱口而出的话。看来这女孩只不过是个笨蛋，也许是看她慌手慌脚的样子想要帮忙，雪之下插嘴道：

"这也没什么好丢脸的吧。这个年龄还是处……"

"哇！哇！哇！你在说什么呀！到了高二还没经验可是超丢脸的！雪之下同学，你的女性魅力不足吧！"

"好无聊的价值观。"

哦哦，雪之下散发出来的冷漠气息不知为何又增添了几分。

"话说回来，你会说'女性魅力'这个词，就说明你是个

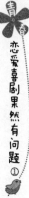

碧池了。"

"你又说出来了！竟然把别人叫做碧池！你真的好恶心啊，阿企！"

由比滨恼羞成怒地叫嚷起来，双眼含泪地看向这边。

"说你是碧池跟我恶不恶心没有关系吧。还有，不要叫我阿企。"

就好像我是个家里蹲似的……等等，她该不会是在骂我吧？所以说这其实是班上的同学给我起的恶毒外号？

（注：日语中"阿企"与"家里蹲"的发音相近。）

这也太过分了。我差点掉下泪来。

背后说人坏话可不好。

因此我才会当着别人的面说清楚。如果不让对方亲耳听见，那就不能造成伤害了！

"你这碧池。"

"你……少啰唆！恶心死了，你去死吧！"

她的这句话让素来温驯老实，如同不伤皮肤的安全刮胡刀一样的我陷入了沉默。这个世上有很多话不能乱说，尤其是与人命相关的措辞会造成强烈的刺激。除非做好了背负对方性命的觉悟，否则最好不要轻易说出口。

为了劝说由比滨，我沉默片刻，才带着怒气郑重其事地开口说：

"不要随便说出'去死'和'杀了你'这类话。小心我杀了你。"

"啊……对、对不起，我不是那个意思……咦？你也说了！你也说了同样的话！"

由比滨总算反应过来了。这家伙还真是个笨蛋啊，但我没想到她也会老老实实地道歉。

也许由比滨本人与她给我的印象有些不同吧。我本来还以为她和自己那个小圈子，那几个足球社社员及其同伙一样，满脑子都是玩乐、性爱与嗑药。他们以为校园生活是村上龙的小说啊？

（注：村上龙是日本著名小说家，处女作《无限近似于透明的蓝》描写了一群沉溺于放浪生活的青年男女。）

不知道由比滨是不是吵累了，她轻轻叹了口气。

"……那个，我听平冢老师说，这里可以实现学生的愿望是吗？"

在短暂的沉默之后，由比滨回到了正题上。

"是吗？"

我还以为这是个读书混时间的社团呢。

雪之下无视我的疑问，回答了由比滨提出的问题。

"略有不同吧。侍奉社只能提供帮助，能不能实现愿望取决于你自己。"

她的回应有些冰冷生硬。

"这有什么不一样？"

由比滨讶异地问道。我也抱有同样的疑问。

"区别就在于给饥饿的人吃鱼，还是教会他捕鱼的方法。志愿者服务本来就只是教人自救的方法，而不是直接提供结果。准确地说，是让对方学会自立。"

听上去就像是思想品德课的课文。

看来这个社团的宗旨可以理解为实践随处可见的校训"自立"与"协作"，而且老师也总是说起"勤劳"这个词，所以这里就是为学生服务的社团吧。

"感、感觉好厉害啊！"

由比滨竟然也圆瞪着双眼表示赞叹。总感觉这孩子将来会被骗去邪教组织，真叫人担心。

虽然没有什么科学依据，不过世间流传着一句俗话叫胸大无什么的，眼前就是一个最好的例子。

反观聪明理智又伶牙俐齿的雪之下，胸部就像停机坪一样平整。她的脸上也一如既往地浮现起冷冰冰的微笑。

"我不能保证实现你的愿望，但一定会尽可能地提供帮助。"

由比滨好像这才想起自己来到这里的目的，"啊"地叫了一声。

"那个，呃……饼干……"

由比滨边说边瞄我的脸。

我又不是饼干。不要以为我在班上被当成空气对待，就能与发音相似的饼干混为一谈。

"比企谷同学。"

雪之下抬起下巴示意走廊方向，意思是让我滚出去。她大可以不用暗号，而是温柔地说一句"你很碍眼，所以请你避让一下。如果你再也不回来，我会更高兴"不就好了吗？

看来是只能讲给女生听的话题，真没办法。这世上不是总有这样的关键词吗？"保健体育"、"男生以外"和"女生单独授课"等等。无非就是那种事情嘛。

说起来，女生的课上到底会讲些什么呢？我到现在都很好奇。

"那我正好去买盒'SPORTOP'。"

（注：SPORTOP 为日本某品牌饮料。）

察觉到现场氛围，便立刻采取行动的我真好体贴。如果我是女生的话，一定会迷上自己。

在我把手伸向房门时，雪之下突然对我的背影说：

"我喝'蔬菜生活 100 草莓什锦酸奶'就可以了。"

能够理所当然地使唤别人，雪之下雪乃同学可真不简单。

×　　　×　　　×

从特别大楼的三层到一层走个来回用不了十分钟。如果我放慢脚步，等到回来的时候她们也该谈完了吧。

不管对方是个怎样的人，由比滨是我的第一位委托人。换句话说，我和雪之下的比赛也正式开始了。反正我也没有胜算，只要尽可能地减少自己受到的伤害就足够了。

小卖部外面那个奇怪的自动贩卖机会有一些便利店见不到的神秘纸盒饮料。看起来很像山寨品牌，味道却还不错，所以我经常会来。

尤其是一种叫"SPORTOP"的饮料，味道就像糖果，向最近流行的"无糖低卡路里"公然发起挑衅，我很欣赏这种叛逆精神。

更何况味道也不差。

我将百元硬币丢入有如空中堡垒般嗡嗡作响的自动贩卖机，买了SPORTOP和蔬菜生活后，又丢了一枚硬币进去。

明明有三个人在，却只有其中两个人有饮料喝，这样总感觉不太舒服，所以我按下按钮，替由比滨买了一盒"男子汉的咖啡欧蕾"。

以上合计三百元，我身上的钱就这样被花掉了一半。也许我这辈子都不可能成为有钱人了。

×　　　×　　　×

"太慢了。"

雪之下张口就是抱怨，然后又从我手里抢走蔬菜生活，插上吸管喝了起来。

我这里只剩下了 SPORTOP 和男子汉的咖啡欧蕾。由比滨似乎注意到了这盒男子汉的咖啡欧蕾是买给谁的。

"给你。"

由比滨说完，从零钱包里取出一枚百元硬币。

"没事，不用。"

雪之下也没付钱，更何况这是我擅自买给她的。我有理由向雪之下讨债，却没道理收由比滨的钱。

我没有拿起那枚百元硬币，而是把咖啡欧蕾放在了由比滨的手心。

"这、这怎么行!"

由比滨还是坚持要把钱给我，但让来让去的场面太麻烦，我干脆朝雪之下走去。由比滨撅起嘴来，只好不情愿地收起了零钱。

"谢谢。"

由比滨小声道歉后，有些扭捏地用双手捧起了咖啡欧蕾，脸上挂着开心的笑容。这大概是我有史以来听过的最棒的谢谢。

用一百元可以买到这样的笑容真是赚到了呢。

我心满意足地向雪之下问道。

"你们聊完了吗?"

"嗯，多亏你不在，进展非常顺利，谢谢。"

这大概是我有史以来听过的最烂的谢谢。

"那就好。然后呢，你们要做什么?"

"去家政教室。比企谷同学也一起去。"

"家政教室?"

没猜错的话应该是那个吧。同关系好的同学凑成一组，在

铁处女一样的教室里，进行名为烹饪实践的拷问活动，里面还有菜刀和煤气炉等等危险的道具。学校应该取消掉这门课程才对。

"去做什么？"

那个与体育课、远足并称三大精神创伤圣地的地方，我想应该不会有人常待在那的。几个人开开心心地聊天，我加入后就开始沉默，那种感觉真的很难受。

"饼干……烤饼干。"

"哦，饼干啊。"

由于完全不懂她的目的何在，我只好"哦"了一声。

"由比滨想让某个人吃到她亲手烤的饼干，但她没有自信，所以就想拜托我帮助她。"

雪之下似乎是想打消我的疑问，特意做了说明。

"为什么要让我们帮忙啊……这种事应该去找自己的朋友吧。"

"唔……这、这个嘛……我本来就不想让她们知道，况且被发现的话肯定会被嘲笑……这种认真的事不适合找朋友帮忙……"

由比滨视线游移不定地答道。

我轻声叹了口气。

老实说，没有比关心他人的恋情更无聊的事。有功夫去管别人喜欢谁，还不如多记一个英文单词比较有意义，更别说让我去帮忙了。

我会马上想到这些，也印证了我对恋爱的话题不感兴趣到什么程度。

她们说要两个人谈谈，我本来还以为是什么严肃的话题，没想到竟然是这个……不过，这样也好。反正解决恋爱的烦恼，只要用"加油哦！你一定行！"来鼓励对方就好；要是失败了，只要说"那家伙真差劲!"即可。

"哈哈。"

我忍不住冷笑一声，与由比滨四目相对。

"呜，呜呜……"

由比滨默默地低下头，抓着裙摆，肩膀微微颤抖起来。

"哈、哈哈哈，果、果然很奇怪。你们一定在想，像我这样的人还做手工饼干，装什么纯情吧……抱歉，雪之下同学，我还是放弃算了。"

"你要是这样决定的话，我也无所谓……不过，你不用在意这个男人。反正他没有人权，我会强迫他帮忙的。"

看来日本的宪法并不适用于我。这里是什么黑心企业？

"哎呀，不用啦，不用啦!反正我也不适合这种事，说出来就很奇怪……之前我也问过由美子和真理她们，大家都说现在不流行这种东西了。"

由比滨说完还瞄了我一眼。雪之下却像是要给气馁的她补上一刀般地说道：

"是啊，这的确不像是你这种花枝招展的女生会做的事。"

"对、对吧?很奇怪吧?"

由比滨边看我们的脸色，边"哈哈哈"地笑了起来。她低垂的视线不小心与我相对，她这么瞄着我，似乎是想让我也说点什么。

"这个嘛，我并不觉得奇怪、不适合你、违和感或是你不配什么的，只是单纯的不感兴趣罢了。"

"你更过分!"

由比滨愤怒地拍了下桌子。

"阿企，你竟然说出这种话!哼，我生气了。告诉你吧，我只要用心什么都能办到!"

"这种话不该由自己来说，而是妈妈泪光闪闪地盯着你说出的台词。像是'我还以为你是个只要用心就能办到的孩子……'之类的。"

"你妈妈已经放弃你了吧！"

"明智的判断。"

由比滨泪水上涌，雪之下则用力点头，补上了一句。

要你们管啊。

不过，被老妈放弃的确是件可悲的事。对干劲十足的由比滨泼冷水，我也有些过意不去，再加上与雪之下的比赛，我只好勉强同意帮忙。

"好吧，虽然我只会做咖喱，但或许能帮点忙。"

"谢……谢谢。"

由比滨总算松了口气。

"我可没有期待你的厨艺。你只要试吃并发表感想就行。"

正如雪之下所说，如果想要男生的意见，我的确能发挥作用。尽管大多数男生都不喜欢甜食，但我可以帮她找出适合男人的口味。

毕竟我是个吃什么都行的老实人。

这样能帮得上忙吗？

　　　　　×　　　×　　　×

家政教室中充满了香草精的甜味。

雪之下熟练地打开冰箱，取出鸡蛋和牛奶，接着又把电子秤和大碗拿了过来，丁零咣啷地准备着汤勺和一些神秘厨具。

这位完美超人的厨艺似乎也非同一般。

迅速地做好准备工作后，雪之下系上了围裙，仿佛在说重头戏还在后面。

由比滨也穿上围裙，但动作生疏的她连打个结都做不好。

"绑歪了。你连围裙都不会穿吗?"

"抱歉，谢谢……咦? 围裙我当然会穿啦!"

"是吗? 那就麻烦你自己穿好。做事过于邋遢，就会变得像那个男人一样无药可救。"

"不要把我当成教训别人的道具。你以为我是生剥鬼啊。"

（注：生剥鬼节是日本秋田县等地流传已久的传统活动。生剥鬼会在除夕夜吓唬好吃懒做的人。）

"你有生以来第一次发挥作用，还是高兴点吧……还有，虽然你说到生剥鬼，但我并没有暗示比企谷同学你的头皮有何不妥，所以请放心。"

（注：日语中"秃头"和"生剥"的发音近似。）

"我从一开始就没担心……你够了! 不要面带温柔的笑容盯着我的头发看……"

为了逃避平时绝对看不到的雪之下的微笑，我拼命遮挡自己的发际线。

由比滨看着我们两人扑哧一笑。她在旁边仔细打量我和雪之下，身上的围裙还是歪歪扭扭的。

"你还没穿好吗? 还是说你根本不会穿……唉，我帮你吧，过来。"

雪之下一脸无奈地向由比滨招了招手。

"可以吗?"

由比滨交替看向我和雪之下，有些犹豫地低喃。她看上去就像是不知自己身处何处的迷路孩子。

"快点。"

雪之下冰冷的声音打断了她的踌躇不决。雪之下似乎有点

不耐烦，所以这声催促还是蛮吓人的。

"对对对对对不起！"

由比滨乖乖地朝雪之下跑去。你是她家的小狗啊？

雪之下绕到她身后，打了个漂亮的结。

"雪之下同学……感觉就像姐姐一样。"

"我的妹妹哪有这么笨。"

雪之下叹了口气，脸上写满了不高兴。但我觉得由比滨的比喻出人意料地贴切，成熟的雪之下与可爱的由比滨配在一起，的确很像是一对姐妹花。

尤其是现在的氛围还很居家。

另外，只有大叔才会宣称裸体围裙比较好，在我心目中，制服和围裙才是绝配。

心里涌起的一股暖流使我不禁咧嘴一笑。

"阿、阿企……"

"什、什么事？"

糟糕。刚才我的笑容有点下流，回答的声音也跟着变尖了，给人的感觉更不舒服。这简直就是雪上加霜。

"你怎么看待居家型的女生？"

"不讨厌啊。男人多多少少都会憧憬这样的女生吧。"

"是、是吗……"

听到我这么说，由比滨像是放下心来似的微微一笑。

"好！我要努力喽！"

由比滨卷起袖子，开始打蛋并搅拌，然后依次加入面粉，以及砂糖、黄油和香草精等调料。

就连不怎么懂料理的我都能一眼看出来，由比滨的手艺有够离谱。也许会有人认为："不就是烤个饼干，至于吗？"但正因为简单，更能反映出实力的差距。不用任何技巧才能看出一个人真正的实力。

首先是打好的鸡蛋，里面还漂着蛋壳。

接下来是面粉，全部凝结成块了。

然后是黄油，根本没有融化。

砂糖也被理所当然地替换成了盐，香草精被她加了一堆，牛奶也差点溢了出来。

我回头看向雪之下，只见她正脸色铁青地撑着额头。连厨艺不精的我都能感到一阵恶寒，想必大厨雪之下更是浑身战栗了吧。

"好，再然后……"

由比滨边说边取出了速溶咖啡粉。

"咖啡啊。嗯，配上饮料更好下咽。你考虑得还挺周到嘛。"

"啥？不是啦。这个是用来提味的，不是有很多男生都不喜欢甜食吗？"

由比滨一边倒咖啡粉，一边转头看向我。视线离开手边的她自然没有注意到碗里已经堆出了一座黑色的小山。

"这样根本就不是提味了吧！"

"咦？啊，那就加点砂糖来调整。"

由比滨说完，在黑色的小山旁又堆起一座白色的小山。两座小山被蛋液的海啸吞没，构成一幅地狱的图景。

让我来得出结论吧。由比滨的厨艺为零，并不是水平高低的问题，而是根本没有水平。

由比滨不仅手艺差，还神经大条，喜欢搞些莫名其妙的创意。她实在不适合下厨。我也绝对不要和她一起上化学实验课，搞不好就会丢掉小命。

那坨面糊烤好后，不知为何变成了像是黑色煎饼的东西，光闻气味就很苦。

"为、为什么?"

由比滨惊愕地盯着"物体X"。

"无法理解……究竟怎样做才能犯下这么多失误……"

雪之下嘟哝道。她大概是考虑到由比滨的心情,才压低声音,不想让对方听到吧,但她说出这句话时,似乎已经忍无可忍了。

由比滨将"物体X"放进盘子。

"虽然看起来不怎么样……不过,不尝尝怎么知道是什么滋味呢?"

"是啊。正好这里有帮忙试吃的人。"

"哈哈哈哈,雪之下。你也会说错话啊,真难得……这是试毒才对。"

"哪里有毒啦!……有毒,嗯……真的有毒吗?"

由比滨高声反驳,但马上又不安地歪起脑袋,用眼神问我:"你觉得呢?"

这种事还用得着问吗?我避开由比滨小狗般的目光,向雪之下搭话。

"喂,我真得吃这种东西啊?这根本就是百货商店卖的木炭。"

"反正没有使用不能吃的食材,应该没问题吧。而且……"

雪之下说到这里停顿了一下,又凑到我耳边说:

"我也会吃的,所以你放心吧。"

"真的吗?你该不会是个好人吧?还是说你喜欢我?"

"你还是一个人吃到死吧。"

"对不起,你的话让我惊吓过度,一不小心就说出了奇怪的话。"

还是把注意力集中在饼干上吧。不过,眼前的物体能不能

72

算是饼干都不好说。

"我是来请你试吃而不是善后，再加上接下委托的人也是我，所以我会负责到底的。"

雪之下说着，便把盘子拉到自己的面前。

"不找出问题所在就无法制定相应的对策。不入虎穴，焉得虎子。"

面对那堆说是铁矿石我都信的迷之暗物质，雪之下捏起一块看着我。不知道是不是我看错了，她的眼眶似乎有些湿润。

"我不会死吧？"

"我还想问你呢……"

我边说边看向由比滨，只见她正盯着我们，好像很想加入进来……正好，让这家伙也吃几块，体会体会我们的痛苦。

×　　　×　　　×

我勉强咽下了由比滨做的东西。

虽然还不至于像漫画里那样吃下去就马上口吐白沫瘫倒在地，但那种难吃的口感让我宁肯昏过去。要是真的昏倒，就不用再吃下去了。

她给饼干里加了秋刀鱼的肠子吗？我的脑海中不由得浮现起这样的疑问。不过，这也能说明吃了这玩意，至少不会马上死掉。只是从长远的角度来看，摄取这种东西会提高致癌的风险系数，说不定吃上几年就会病发而亡。

"呜呜……好苦好难吃……"

由比滨眼泪汪汪地嚼着饼干。雪之下马上递给她一杯茶。

"尽量不要嚼碎，配合茶水咽下去比较好。注意不要碰到舌头，这东西跟剧毒不相上下。"

亏她能若无其事地说出这么过分的话。

雪之下将刚刚烧好的滚烫热水倒进茶杯，为我们泡好红茶。

我们各自吃完了平均分配的饼干，用红茶涮掉嘴里的味道，总算舒服一点的我松了一口气。

为了让精神涣散的我们振作起来，雪之下开口说道：

"那么，我们来考虑一下怎样才能有所改进吧。"

"让由比滨永远别下厨。"

"全盘否定？"

"比企谷同学，这是万不得已时才能使用的解决方法。"

"这样能算是解决了吗！"

由比滨震惊之余又沮丧起来。她失落地垂下肩膀，长叹了一口气。

"我果然不适合料理……这种事要靠天分吧？可我没有。"

雪之下听到此话，也轻轻地叹了口气。

"原来如此。我想到解决方法了！"

"怎么做？"

对于我的质问，雪之下只是淡然地答道：

"只能努力了。"

"这也算解决方法？"

在我看来，努力是最糟糕的解决办法。

没有其他办法，只能努力了——反过来说，这与回天乏术是一个意思，说白了就等于是没办法。既然没有希望，那还不如就此放弃比较轻松。白费功夫是这世上最空虚的行为，所以还不如引导对方把时间和精力放在其他事情上，这样更有效率。

"努力可是了不起的解决办法。只要做法正确。"

雪之下像是猜透了我的想法般说道。你有超能力啊？

"由比滨同学，你刚才说自己没有天分对吧？"

"咦？啊，嗯。"

"请你订正这种想法。连最低限度的努力都不去尝试的人，没有羡慕天才的资格。无法成功的人正是因为想象不到成功者付出了多少努力，才会屡战屡败。"

雪之下的话很尖刻，但也正确到让人无法反驳。

由比滨顿时语塞。恐怕从未有人当面满口道理地说教过她吧，她的脸上满是困惑与恐惧。

像是要掩饰自己的不安，由比滨硬生生地挤出笑容。

"可、可是，大家都说最近没人会做这种东西了……一定是我不适合。嘿嘿。"

在由比滨羞涩的笑容快要消失前，茶杯被"喀"的一声放下了。虽然这声音平静而又微弱，音色却像冰块般凛冽澄澈。我看向一言不发的那个人——浑身上下释放出攻击力场的雪之下。

"可不可以请你不要总看周围人的脸色？这样会让我很不愉快。自己的笨拙、狼狈、愚蠢的根本原因在哪也要问别人，你不觉得丢脸吗？"

雪之下的语气很重，流露出了强烈的厌恶感，连我都忍不住低声"呃……"了起来。

"……"

在她的气势逼迫下，由比滨陷入沉默。她低下了头，所以我看不清表情，但她紧紧地捏着裙角的动作，已将她的内心活动展露无遗。

她一定很擅长与他人交流吧。成为班上高调小团体的一分子，不仅需要外貌出众，还得有足够的协调性，但相对的也要迎合别人，也就是说她缺乏冒着孤独的风险贯彻自我的勇气。

雪之下则是我行我素的极致。她的行动力素有定评，从言谈举止也能看出她为自己的特立独行感到骄傲。

这两个女生是完全相反的类型。

若是角力的话，很明显是雪之下占据上风，更何况她说的没错。

由比滨的眼眶湿润了。

"我……"

她是想说"我要回去了"吗？泫然欲泣的她挤出几不可闻的说话声。由比滨的肩膀也在微微抖动，所以她的声音听起来颤抖无力。

"我觉得雪之下同学好帅气……"

"什么？"

我和雪之下异口同声地反问。这家伙在说什么啊？我们两个不禁面面相觑。

"你完全不会说客套话……该怎么说呢，我觉得这种人很有型……"

由比滨热情地盯着雪之下，逼得面部僵硬的雪之下向后退了两步。

"你、你在说什么呀……你没听到我刚才说了什么吗？我说的时候还刻意加重了语气。"

"不！没那种事！啊，不过……你的话的确过分，让我有点吓到……"

嗯，她说得对。老实说，我真的没想到雪之下对女生也会说出那种话，连我都被吓到了。但是，由比滨似乎只是"有点吓到"的程度。

"但我能感觉到你说的是真心话。你和阿企说话时也是，虽然嘴上不饶人……但你们真的在沟通。我习惯了迎合别人，所以还是第一次见到这种情景……"

由比滨没有逃避。

"对不起。下次我会认真做的。"

她道歉之后，便正面看着雪之下。

意料之外的反应反而使雪之下哑口无言。

"……"

对雪之下来说，这或许也是第一次吧。被当面说教，还能诚心诚意道歉的人不多，大多数人都会面红耳赤地发起火来。

雪之下错开视线，用手拨了下头发。看来她是想说点什么，但又不知道该怎么措辞……这女人真是不懂得临场发挥。

"你就教给她正确的方法吧。由比滨也要认真听。"

我开口打破了这两人之间的沉寂。雪之下轻声叹了口气，便点头说道：

"我来示范一次，你就照着做吧。"

雪之下站起身来，立刻着手做起准备。

她卷起衬衫袖子，打好鸡蛋搅拌均匀。加入标准分量的面粉后，让其完全融化，没有结块。接着再加入砂糖、黄油、香草精等食材。

雪之下熟练的动作不可与由比滨同日而语。

没过多久她就做好了生坯，用模具压出心形、圆形和五角星形。

烤箱上面已经铺上了一层锡纸。雪之下小心谨慎地将生坯摆在上面，又将其放入预热过的烤箱。

稍等片刻后，烤箱内便飘出了难以言喻的香味。

前期准备工作如此完美，结果可想而知。

刚出炉的饼干仅是看起来就很美味。

把饼干放进盘子，雪之下干脆利落地把饼干推到我们面前。

烧好的饼干呈现出漂亮的黄褐色，可以说是名副其实的饼干，跟诗〇莉手工饼干一样精致。

（注：诗特莉 AUNT STELLA 是日本著名的烘焙品牌。）

我心存感激地拿起一块。

刚把饼干送入口中，我的表情就融化了。

"好好吃！你是某色蛋糕师吗！"

（注：暗指漫画《梦色蛋糕师》。）

我坦率地说出了自己的感想。

手停不下来。我又把一块饼干送入口中，依然是那么的可口。想到今后可能再也没有机会吃到女生亲手做的饼干，我又吃下一块。由比滨烤的东西不是饼干，所以不算在内。

"真的好好吃……雪之下同学好厉害哦。"

"谢谢。"

雪之下没有嘲讽之意地笑了。

"不过，我也只是完全照着食谱做的，所以由比滨同学一定也可以做出同样的饼干。要是这样还做不出就奇怪了。"

"拿这个去送人不就行了吗？"

"那就没有意义了。来吧，由比滨同学，加油。"

"嗯……我真的能像雪之下同学那样做出好吃的饼干吗？"

"是啊。只要你按照食谱做。"

雪之下还不忘再次嘱咐。

于是，由比滨的雪耻行动开始了。

她按照刚才雪之下示范的步骤，像翻版一样做出同样的动作。她正好也在重烤饼干，我这个比方还是一语双关呢。

（注：日语中"翻版"与"重烤"是同一个词。）

这样烤出来的饼干也一定相当美味吧。我又说了一句很棒的俏皮话。

（注：日语中"美味"和"很棒"是同一个词。）

可是……

"由比滨同学，你做得不对，筛面粉时要画圆形，圆形啦圆形。明白我的意思吗？你在小学里有学过吧？"

"搅拌的时候要按住碗。要是连碗都转起来，还怎么搅拌？而且不是转圈，动作要像切菜一样。"

"不对，不对啦。提味的食材就算了，罐装水蜜桃等下次再用吧。加入过多水分，生坯会坏掉，变成死坯。"

雪之下——那个传说中的雪之下雪乃居然会手忙脚乱，一副筋疲力尽的样子。

好不容易把生坯送入烤箱，雪之下已经累得气喘吁吁。平时那张钢铁面具也被脱下，额头上冒出了汗水。

打开烤箱后，一股与刚才神似的味道飘了过来。然而……

"好像还是不一样……"

由比滨沮丧地垂落肩膀。我也尝了一下，发现的确与雪之下烤的饼干有明显的差距。

但是，这些成品已经达到了能被称之为饼干的水准。与之前的木炭相比进步了很多，而且坦率来讲，把这些饼干当成普通的食物并不算差。

可是，由比滨和雪之下似乎还是不满意。

"我应该怎样教，你才会明白呢？"

雪之下沉吟着思索起来。

看到她这种反应，我不由得想到，这女人不擅长指导别人。

说得直白一点，正因为雪之下是天才，她才无法体会其他人的心情。她不能理解别人为什么会在那个地方犯错。

按照食谱来做，与做数学题时套用公式没什么两样。

对于不擅长数学的人来说，他们首先无法理解公式为何存在，也不懂怎样套公式解出答案。

所以雪之下不明白由比滨为何不理解。

我这样分析，听起来或许是雪之下的不对。

但事实并非如此，雪之下也尽力了。

问题在这家伙身上。

"为什么烤不好呢……我明明有照你说的做。"

由比滨一脸不解地再次把手伸向饼干。

真正聪明的人也懂得指导他人，能够做出连傻瓜都懂的解释。这是句大谎话。

因为对牛弹琴的人琴技再高明，牛也听不懂。

不管重复多少遍，天才与凡人之间的鸿沟都难以跨越。

"嗯，果然跟雪之下同学的饼干不同。"

由比滨垂头丧气，雪之下也抱头苦思。

我看着她们两人，又吃下一块饼干。

"我说，从刚才起我就想问了，为什么你们非要执着于好吃的饼干？"

"啊？"

由比滨露出仿佛在说"这家伙在说什么傻话？他是处男吗？"的表情看向我，眼神中充满了鄙夷，触动到了我的神经。

"你明明是个碧池，却不明白这个道理，你是白痴吗？"

"我都说了别叫我碧池！"

"你真是一点也不懂男人心。"

"这、这有什么办法！我又没有交过男朋友！朋、朋友倒是有和男生在一起过……但我、我是为了迎合她们才变成这样的……"

由比滨的声音越来越小，后半部分几乎听不到。说话时大声一点，你以为你是上课时被点到名的我啊？

"由比滨同学的躯体怎样都好。比企谷同学，你到底想说

什么？"

呃，躯体这个词连最近电车的海报上都不常见了，你今年几岁？

我卖完关子，便自信满满地笑了起来。

"哼哼，看来你们都没有吃过真正的手工饼干。十分钟后再到这里来，我会让你们见识一下真正的手工饼干。"

（注：出自漫画《美味大挑战》的"明天再到这里来，我会让你们见识一下真正的料理"。）

"你说什么……谁怕谁啊！那我就等着瞧啦！"

自己烤的饼干被否定，所以心情不悦的由比滨甩下这句话，便拉着雪之下消失在了走廊。

那么，接下来这场比赛就轮到我出手了。这正是究极烦恼咨询师与至高烦恼咨询师的巅峰对决。

（注：出自漫画《美味大挑战》的"究极料理与至高料理的对决"。）

　　　×　　　×　　　×

没过多久，家政教室内就沉浸在紧张的氛围之中。

"这就是'真正的手工饼干'？形状难看，大小不一，而且还到处都是烤焦的痕迹。这算什么呀……"

雪之下惊讶地望着桌上的物体，由比滨也从旁边探头打量。

"哈哈！刚才你还夸下海口，结果也没什么大不了的嘛！这种东西我连吃的兴趣都没有！"

由比滨突然嘲笑——不，这根本就是爆笑。可恶，你给我记着……

"行、行啦，别挑三拣四的，先尝尝看吧。"

我强忍嘴角的抽搐，保持大度的笑容。我要用微笑来告诉她们，我已经做好了万全的准备，还藏着一手，以及我有十足的胜算。

"既然你都这么说了……"

由比滨小心翼翼地将饼干送入口中，雪之下也默默地拿起一块。

咔嚓一声，四周安静下来。

这正是暴风雨前的宁静。

"这、这是！"

由比滨双目圆睁，味觉传达到大脑后，她开始寻找合适的形容。

"也没什么特别的嘛，吃起来还有点硬邦邦的！坦白说根本没那么好吃！"

惊讶转为了愤怒，过大的反差使由比滨横眉竖眼地瞪向我。

雪之下却什么都没说，只是诧异地看了过来，看来她已经觉察到了。

"是吗？不好吃啊……我明明有努力过。"

"啊……对不起。"

我垂下脸庞，由比滨也有些尴尬地看向地板。

"抱歉，我拿去扔掉。"

我说完就抓起盘子转过身去。

"等、等一下啦。"

"干吗？"

由比滨拉住了我的手。她并没有回答我，而是将形状怪异的饼干送入口中，然后咔嚓咔嚓地嚼碎咽下。

"没、没有差到要丢掉吧……而且也不像我刚才说的那么难吃。"

"是吗？那你还算满意吗？"

我对由比滨微微一笑，她默默点头，将脸扭向一旁。夕阳从窗户洒入教室内，将她的脸颊染成了绯红色。

"其实，这是由比滨刚才做的饼干。"

"咦？"

我淡淡地为她讲述了真相。反正我并没有说过这是我做的饼干，所以也不算撒谎。

由比滨发出了傻乎乎的声音。她的眼睛缩成了两个点，嘴巴张的老大。

"咦？"

由比滨眨巴着眼睛，交替看向我和雪之下，她好像完全没有了解眼下的状况。

"比企谷同学，我不明白你演这出有什么意义？"

雪之下不悦地瞧着我。

"你没听过这句话吗……'只要有爱，一切 OK'！"

（注：出自日本著名的料理节目《辣妹围裙》，1999 年开播。）

我露出灿烂无比的笑容，竖起大拇指。

"好古老的梗。"由比滨小声说道。

也是啦，这可是我小学时开始播放的节目。不明所谓的雪之下疑惑地歪起脑袋。

"你们摆的栏杆太高了。"

我忍不住笑容满面。这种优越感是怎么回事呢？仿佛只有我知道正确答案的心情。真让人受不了啊。我一不小心就变得多话起来。

"呵呵……跨栏运动的主要目的并不是跨越，而是以最快的速度抵达终点，而且规则也没有要求一定要跨过栏杆，就算……"

"你想表达的意思我已经明白了。"

就算把栏杆踹飞推倒或是从下面钻过去都没有关系。我的话还没说完，就被雪之下打断了。

"我们把方法和目的搞错了，是吧？"

总觉得无法释然，但我想说的话正如雪之下的解释，无奈之下我只好点了点头，继续说道：

"你好不容易烤出这些饼干，不强调手工的部分就没有意义了。就算你送出与店里一样的饼干，对方也不会感到高兴的，倒不如说味道差一点更好。"

听到这里，雪之下像是无法认同似的反问：

"难吃点反而好？"

"是啊，没错。只要告诉对方'虽然烤得不好，但这是自己努力做出来的'，男人就会以为'她是为了我才这么努力的啊'。这就是男人的可悲之处。"

"怎么可能有那么简单……"

由比滨将信将疑地看着我，目光似乎在说："你这处男在讲什么蠢话呀！"

哼，真拿她没办法。我只能讲个比较有说服力的故事了。

"这是我朋友的朋友的故事。那个人刚刚升上初二时，新学期的第一节班会要选出班干部。当时大家都很中二，男生没有一个人愿意当班长，最后只好抽签决定。那个人天生运气就差，所以不出意外地成为了班长。然后，他要代替老师继续主持班会，选出另一位女班长。对于内向害羞的青涩少年来说，这是相当沉重的负担。"

"你说的这几个词都是一个意思。还有，开场白长过头了。"

"闭上嘴好好听吧。当时，有一个女生自愿成为班长，她长得也很可爱。于是，男女班长就此拍板。那个女生有些羞涩地说'今后这一年就请你多多指教喽'。后来那个女生就会常找那个男生说话。'咦？这家伙难不成是喜欢我？这么说起来，她是在我成为班长后才提出要做班长的，而且还总是向我搭讪，她绝对是喜欢我啊'——没过多久，男生就得出了这样的结论，差不多在一周后吧。"

"太快了啦！"

原本连连点头的由比滨也惊讶地嚷道。

"笨蛋，在爱情的面前，年龄差距与时间都不是问题。后来有天放学后，老师让那个男生帮忙整理讲义，他决定向女生表白——

'那、那个，你有喜欢的人吗？'

'咦？没有啊。'

'不不不，听你这么说肯定是有啦！是谁啊？'

'你觉得是谁？'

'我怎么知道？提示！给我个提示吧！'

'你要我怎么提示？'

'啊，告诉我罗马音的首字母是什么吧。不管是姓还是名都可以，拜托！'

'嗯，那好吧。'

'真的吗？太好了！那是哪个字母？'

'H。'

'咦……该不会是……我吧？'

'啊？你在说什么呀？怎么可能嘛。不是吧，好恶心。能不能别说这种话？'

'哈哈，也、也是呢。我开玩笑的啦。'

'我可不觉得好笑……工作也干完了，我先走一步。'

'哦，好……'

然后就只剩下我一个人留在教室里，对着夕阳泪流满面。

第二天我来到学校后，这件事还在班上传开了。"

"原来是阿企的故事啊……"

由比滨有些同情地错开视线清了下嗓子。

"喂，你这笨蛋，我什么时候说过这是我的故事啦？只是叙述上有点混乱而已。"

雪之下完全没有理会我的辩解，不耐烦地叹了口气。

"从你说出'朋友的朋友'时就暴露了。你又没有朋友。"

"你说什么！"

"比企谷同学，你的精神创伤怎样都好，问题在于你到底想表达什么？"

才不好咧！我就从那以后开始被女生讨厌，连男生都整天取笑我，还给我起了个"自恋谷"的外号。算了，怎样都好啦！

我调整心情继续说了下去。

"也就是说，男人是种单纯得可怜的动物。被搭讪就能会错意，收到手工饼干就会觉得高兴。所以……"

说到这里，我稍作停顿，抬头看向由比滨。

"就算是没什么特别，吃起来还有点硬邦邦的，坦白说根本没那么好吃的饼干就足够了。"

"唔唔唔……少啰唆！"

由比滨气得脸红起来。她抓起手旁的塑料袋和烤盘纸扔了过来。专门挑些砸到也不会痛的东西，这家伙还挺温柔的嘛。咦？难不成她喜欢我？哈哈哈，当然是开玩笑的啦，那种经历我才不想体验第二次。

"你气死我啦，阿企！我回去了！"

由比滨恶狠狠地瞪着我，抓起书包站了起来。她气鼓鼓地转过身，朝门外大步走去。她的肩膀还在微微颤抖。

糟糕，我会不会说得有点过分了……要是班上又流传起我

的坏话，那可就得不偿失了，还是弥补她一下吧。

"总之……你只要把努力的心情传达给对方，男人就会动摇的。"

由比滨在门前回过头来，逆光让我看不清她的表情。

"阿企也会动摇吗？"

"啊？嗯，当然是超动摇啦。只是温柔地待我，我就会喜欢上对方。另外，不许叫我阿企。"

"哼。"

我随口回了一句，由比滨也只应了一声就转过头去。她刚想伸手开门就此离去，雪之下对她的背影说道：

"由比滨同学，你的委托怎么办？"

"已经不用了！这次我会用自己的方法来尝试。谢谢你，雪之下同学。"

由比滨回过头粲然一笑。

"明天见，拜拜。"

由比滨挥了挥手，这次她是真的离开了，身上还穿着忘记脱下的围裙。

"这样真的好吗？"

雪之下望着门外喃喃道。

"我认为她既然想要提高自己，就该挑战极限。这也是为了由比滨同学好。"

"嗯，你说得没错。努力不会背叛自己，却有可能会背叛梦想。"

"有什么不同？"

雪之下转头看向我。微风拂过她的脸颊，两侧的头发轻轻飘起。

"努力也未必能实现梦想。甚至可以说，实现不了的是大多数。但是，只要有自己努力过的事实，就能起到心理安慰的作用。"

"这只不过是自我满足。"

"可并没有背叛自己啊。"

"真是天真的想法……我无法接受。"

"包括你在内，这个社会对我太过苛刻，所以至少我要对自己好一点，大家也应该对自己多一分宽容。只要所有人都变成废柴，那这个世上就没有废柴了。"

"我还是第一次见到你这种负能量理论者……要是你的思想普及开来，地球早就毁灭了。"

雪之下的表情颇为无奈，但我还蛮欣赏自己的思想观。迟早有一天，这个世界会有一个尼特族拥有的、被尼特族选出的、为尼特族服务的国家——尼特利亚。不过，这个国家也许三天就会灭亡。

（注：改自美国总统林肯的《葛底斯堡演说》。）

×   ×   ×

我总算理解侍奉社的社团活动内容了。

简单来说就是接受学生的咨询，帮助他们解决问题，但社团的存在并未公开，我之前就没有听说过。不，绝对不是因为我还没融入这所学校才不知道的。考虑到由比滨也没有正确理解，来这里咨询的人应该都是通过某种渠道得知这个社团的吧，而这种渠道就是平冢老师。

老师偶尔会把有问题或烦恼的学生送来这里。

简而言之就是隔离病房。

而我在这所疗养院中，还是像往常一样读着书。

咨询烦恼的行为本身就会暴露自卑的一面。把这些事说给同校的学生，对于多愁善感的高中生来说，会有较高的心理障碍。由比滨也是通过平冢老师的介绍才会造访这里，要不怎么会有人来呢。

今天也没有客人，社团活动室门庭冷落。

幸好我和雪之下都是安于享受沉默的人，两人都在静静地读书。

所以，敲门的"咚咚"声也显得格外响亮。

"呀喽！"

打着让人冒出冷汗的愚蠢招呼，同时拉开房门的人正是由比滨结衣。

看到她那副样子，雪之下夸张地叹了口气。

"有何贵干？"

"咦，你们怎么都不欢迎我的样子……莫非是雪之下同学……讨厌我？"

雪之下的小声回应使由比滨肩膀一颤。雪之下沉吟片刻，又用一如往常的声音说：

"也不讨厌……只是有点发憷。"

"这在女生的字典里就是讨厌啊！"

由比滨慌张起来。看来她不想被人讨厌。这家伙外表看起来是个碧池，举止却是不折不扣的普通女生。

"然后呢，你有什么事？"

"我最近不是很热衷下厨吗？"

"我怎么知道……我还是第一次听说。"

"这个算是上次的谢礼。我自己烤了饼干，就想给你们带一点。"

雪之下顿时面色惨白。说起由比滨的手艺，就会让人瞬间联想到那些黑黢黢的钢铁饼干。我只是稍微回想一下，喉咙和心灵都干涸了。

"我没什么食欲，所以不必多虑。你的心意我领了。"

我想她应该是在听到由比滨说出饼干这个字眼的瞬间，才失去食欲的吧。没有把实话说出口，也算是雪之下的体贴。

可是，由比滨没有理会雪之下的推辞，她哼着小曲从书包里取出了一个玻璃纸袋。虽然包装很可爱，但内容物依然是焦黑色。

"哎呀，没想到下厨这么有趣呢。下次我就试着做便当吧。啊，对了，小雪也来一起吃午餐好了。"

"免了，我喜欢自己用餐，所以对你说的那种不怎么感兴趣。还有，'小雪'听起来很肉麻，请不要这样叫我。"

"不是吧，这样不会觉得寂寞吗？小雪，你都在哪里吃饭呀？"

"社团活动室……我说，你没听到我刚才的话吗？"

"啊，还有还有，反正我放学后都很闲，干脆来你们社团吧。哎呀，这算什么呢？谢礼？对啊，就是谢礼，所以你们不用放在心上啦。"

"你有在听我说话吗？"

由比滨惊涛骇浪般的攻击使雪之下困惑不已，频频地看向我这边。她的意思似乎是让我想办法应付一下这个女人。

我怎么可能会帮你吗？

总是对我恶言相向，蔬菜生活的钱还没付……更何况由比滨不是你的朋友吗？

正因为雪之下一本正经地帮由比滨解决了烦恼，她才会来这里道谢。既然如此，她也有接受这份感激的权利和义务，从中阻挠的话，就是我的不对了。

我阖上口袋书，悄悄地站起身来，轻声说了句"辛苦了"，就道别准备离开社团活动室。

"啊，阿企。"

听到由比滨的声音，我回过头去。只见一坨黑色的物体飞到了我的面前，我条件反射地一把抓住了那个东西。

"这个也算是我的一份心意，毕竟阿企也有帮忙。"

仔细看去，原来是块散发出危险气息的心形黑色不明物体。虽然很不吉利，但由比滨都说是她的心意了，我就心怀感激地收下吧。

还有，别叫我阿企。

平冢静
Shizuka Hiratsuka

比企谷八幡
Hachiman Hikigaya

生日
不公开
（不许问女性这种问题）

特长
格斗

爱好
开车兜风、骑车远行、阅读
（漫画、言情小说）

假日生活
喝到天亮，睡到中午，
起来再喝，然后睡觉。

生日
8月8日
（因为是暑假，
所以从来没有同学一起庆生，
不过倒是被诅咒过。）

特长
脑筋急转弯和猜谜等
一个人能做的事。自言自语。

爱好
阅读

假日生活
悠闲地读书。悠闲地看电视。
睡个懒觉。

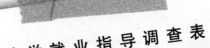

升学就业指导调查表

总武高级中学	2 年 F 班	
注音	Yuigahama	Yui
姓名	由比滨 结衣	男·⼥
座位号	33	

请写下你的座右铭。

与大家友好相处。

你在毕业相册上"将来的梦想"这栏写的什么?

我写了:"毕业了也要一直做朋友哦!"

为了将来,你在做怎样的努力?

希望能大胆说出自己的意见。

老师的评语

你的信条很像《勇者斗恶龙》的"作战"选项呢。

个人认为由比滨同学比较适合"全力以赴"。至于你的梦想,的确有

女生会这样写。

顺便一提,老师毕业之后与那位写出这段文字的女生再也没有见过

面。请你加油吧。

第四章
尽管如此班上的氛围依然融洽

　　下课铃响起，第四节课终于结束，教室里的氛围顿时变得轻松起来。有人向小卖部冲去，有人拼好桌椅把便当摆在桌上，还有人向其他教室走去。

　　午休时间的二年 F 班教室，今天也一如既往的热闹。

　　像今天这样的下雨天，我就无处可去了。平时我有吃午饭的专用地点，但今天可没兴致淋着雨用餐。

　　无奈之下，我只好一个人在教室里吃便利店买的面包。

　　雨天的午休，我往往会读小说或漫画来打发时间，可昨天把看到一半的书放在了社团活动室，早知道趁刚才十分钟的下课时间取回来就好了。

　　不过，现在再想也只是马后炮，用英语说就是"Horse Behind Cannon"，不过，直译起来就成了"炮后马"了吗？

　　自己装傻自己吐槽。我就是闲到了这种地步。

　　但我也经常会想，一个人独处的时间长了，经常没事找事，迟早有一天会变成找死。

　　我会在家里自言自语，还会一个人放声歌唱。"MOTTO! MOT……欢迎回来"——像这样唱到一半，妹妹进了家门也是常有的事，但我在教室里还不至于唱歌。

（注：出自组合 JAM Project 的歌曲《SKILL》。）

所以，我会花时间思考很多事情。

每当我一个人静下来，都会变成思考大师。正如"人是一根有思想的芦苇"所言，人们总是一不留神就开始思考。而孤独者不需要跟别人分享自己的思考，所以思考会更加深入。正因为如此，我们这些独来独往的人才会有着与其他人不同的思维方式，时不时地冒出常人无法想象的念头。

使用对话这种有限的表现方式，很难传达庞大的信息量。电脑也是一样，将大量的数据上传到服务器或用邮件发送，需要耗费很多时间。所以，孤独者往往不擅长对话，也有这方面的原因。

我不认为这是坏事。电脑不只是可以用来发邮件，可以上网也能 PS 修图。换言之，不能用统一的价值观来衡量所有人。

不过，虽然我用电脑来举例，其实我也不是很懂啦。真正对此有了解的，应该是聚集在教室前方的那群人。

我所说的"那群人"，是指拿着 PSP 凑在一起联机狩猎的那几个男生。我记得里面有个人叫"小田"还是"田原"吧。

"喂喂，你竟然用大锤！"

"因为我用铳枪就能开无双了啊。"

看上去好像玩得很开心。那款游戏我也有玩，老实说我也很想加入进去。

漫画、动画、游戏以前曾是孤独者的舞台，但最近却越来越社交化，想要和他们那样的人打交道，就必须具备一定的沟通能力。

可悲的是，凭我这种中端的长相，就算加入进去也会被骂成是"小白"或"伪宅"，我还能怎么办。

初中时听到其他人在聊动画，我也想参与一下，结果大家都毫不掩饰地沉默不语，那种氛围真的很难受……从那以来，我就不再试图加入小圈子。

我小时候就是那种不会说"加我一个嘛"这种话的孩子，所以更难融入集体。班上玩足垒球时，两位男生的领袖人物可以通过剪刀石头布来挑选自己想要的队员，我每次都是被挑剩下的最后一个人。"我会是第几个被选上的呢？好期待呀。"当时十岁的我真可怜，现在回想起来我都快流泪了。

原本不讨厌运动的我也变得不喜欢运动了。虽然我很喜欢棒球，但没有人陪我玩。所以，我从小就会对着墙壁投球并练习守备，与隐形跑者和隐形防守阵营玩单人棒球。

与我正相反。这个班上也有那种极其擅长交流的人。

像是教室后方的那群人。

两名足球社社员，一名篮球社社员——这三个男生外加三个女生。从那种奢侈的氛围就能一眼看出，他们是这个班级的上流阶层。顺便一提，由比滨也属于那个小团体。

其中有两个人格外耀眼。

叶山隼人。

这是那群人里中心人物的名字。他是足球社的王牌兼下任社长候选人。盯着他看久了就会双眼刺痛。

反正他就是标准的帅哥型男就对了。真是没天理。

"哎呀，今天不行啦。我还要参加社团活动。"

"少去一天又不会死。今天的双球冰淇淋打折哦。我想吃巧克力和朱古力的双球。"

"你说的那两种都是巧克力吧。（笑）"

"咦？完全不一样好不好。唉，肚子好饿啊。"

大声嚷嚷的女生是叶山的好友——三浦优美子。

她留着金色的钻头卷发，制服松松垮垮地耷拉在肩膀上，让人不禁想问"你是花魁吗"，裙子则是短到了让人想问"这样穿裙子还有意义吗"的程度。

三浦的外表很漂亮，但夸张的装扮与无脑的举止让我对她没有好感。确切地说，应该是害怕才对，真不知道她这种人会对我说出什么话。

但是，对叶山来说，三浦没什么好怕的。从他们的样子来看，倒不如说是相谈甚欢的同道中人。我实在是搞不懂上流阶层的男生在想什么。那个女人很明显是因为对方是叶山，才会说得那么兴奋。要是对象换成是我，她顶多只会冷笑一声打发掉吧。

不过，我和她没什么交集，聊不来也是正常的。

叶山和三浦依然熟稔地聊着天。

"抱歉，今天真的去不了。"

叶山像是要为这件事下个定论般说道。三浦顿时一脸失望，之后，叶山又露出灿烂的微笑高声宣告。

"我们今年要向国立进军。"

"啊？国立？你确定是国立竞技场，不是坐中央线就能到的东京都国立市吗？"

"噗……"

我不由得偷笑起来。真是的，这家伙居然装模作样地说出一句自以为很帅气的台词。这怎么行呢？我绝对、绝对饶不了他。

"还有啊，优美子。你吃多了会后悔的。"

"我吃多少都不会胖啦。啊，我今天一定要吃，对吧，结衣？"

"嗯，没错没错。优美子身材很棒啦。对了，今天我有事……"

"对嘛，只能今天就去了。"

三浦说完，其他人也跟着笑了起来。听上去就像是综艺节目录制好的空洞笑声一样，只有声音格外响亮，我仿佛能看到附在上面的字幕。

我也不是刻意偷听，只是他们声音实在太大，拼命地往我的耳朵里钻。或者说主要的两个小团体，死宅和现充都很吵。正坐在教室正中央的我，旁边一个人也没有，所以就好像处在台风眼里。

而中心人物叶山挤出了人见人爱花见花开的笑容。

"吃太多肚子会坏掉的哦。"

"人家都说了，我吃多少都不要紧，不会胖的啦。对吧，结衣？"

"就是嘛，优美子身材一级棒，长腿也很美。不过我……"

"咦？是吗？但你不是说那个雪之下同学什么的也很漂亮吗？"

"嗯，是啊。小雪她……"

"……"

"啊，不过还是优美子最美啦！"

看到三浦陷入沉默，眉毛不停抽动，由比滨连忙补充道。该怎么说呢，她们简直就像是女王与侍女。可惜侍女的极力挽回，不足以抚慰女王受到刺激的心，三浦不爽地眯起了眼睛。

"好啦。要是社团活动结束之后也没问题的话，我就陪你们去吧。"

也许是觉察到现场骤然降温，叶山故作轻松地说。女王这才恢复心情，笑着回了句："OK，记得到时候发短信给我。"

由比滨也悄悄地松了口气。

喂喂，她要不要这么辛苦？这里是封建社会吗？要是变成现充就得处处小心，那我宁可孤独一辈子。

我的视线与抬起头的由比滨相遇了。她看着我的脸，像是在下定决心般深吸了一口气。

"那个……我中午有个地方想去……"

"哦，这样啊。那你回来的时候帮我买瓶柠檬茶。我今天忘了带饮料，午饭又是面包，没有茶水怎么吃得下呢？"

"咦？呃，可是等我回来就到第五节课了，整个中午可能都不在，所以会有点不方便……"

听到由比滨这样说，三浦的脸色顿时沉了下来。

她那副表情就好像是被自己养的狗咬到手似的。这是因为向来对三浦言听计从的由比滨居然没有听她的话。

"啊？喂，你搞什么啊？怎么感觉结衣你上次也说过这种话，放学后就马上走掉了。你最近很不合群嘛。"

"呃，这个嘛，该怎么说才好……我有点私事要处理，所以那个……真的真的非常抱歉……"

由比滨语无伦次地回答。你是向上司道歉的上班族啊？

不过，由比滨的举动反而激怒了三浦，她不耐烦地拍了下桌子。

女王的突然爆发让班里变得鸦雀无声。那个不知道叫小田还是田原的家伙也把 PSP 的音量调小了。叶山和旁边的相关人员都尴尬地看着地板。

只有三浦修长的手指敲打桌面的声音不断响起。

"你这样说话我怎么听得懂？有话想说就说个清楚。你不是我的朋友吗？有事情瞒着我不太好吧？"

由比滨沮丧地低下头。

　　三浦嘴上说得好听，其实只是把同伴意识强加在对方身上。三浦的意思是，因为是朋友，因为是同伴，所以就什么都能说，什么都能做。但她的话也隐含着"如果连这种事都做不到，你就不是我的朋友，而是敌人"的深层含义。这简直就是宗教审判。

　　"对不起……"

　　由比滨低头喃喃道。

　　"我不是说了吗？不要道歉。你应该有话想对我说吧。"

　　哪有人会听到这种话就说出实话的。这样既不是对话也不是提问，只是逼迫对方道歉并攻击对方罢了。

　　蠢死了。你们尽情地窝里斗吧。

　　我转头看向正面，边玩手机边把面包送到嘴边，嚼几口再咽下去。喉咙有种被卡住的感觉，罪魁祸首却不是面包。

　　嗯，该怎么形容呢？

　　按照《孤独的美食家》的逻辑来思考，享用食物应该是更快乐更幸福的事才对。

　　虽然我没有半点介入的意思，但认识的女孩子快要哭出来的样子，会让我的胃袋缩紧，食物也变得难以下咽。吃东西果然要吃得津津有味才行。

　　而且，受到攻击是我的固定节目，怎么能把宝座轻易让给别人呢？

　　啊，还有就是……

　　我实在是看你不爽啊，臭女人。

　　我"喀哒"一声碰响桌子，英姿飒爽地站了起来。

　　"喂，差不多……"

　　"吵死了！"

　　该停手了吧。我的话还没说完，三浦就用毒蛇般犀利的眼神瞪向我。

"差……差不多该去买瓶饮料了呢。不、不过，我看还是算了吧。"

好可怕！她是森林巨蟒吗……我差点就"对对对对对不起"地道歉了啦！

三浦彻底没把默默坐下的我放在眼中，而是从上方俯视着缩成一团的由比滨。

"告诉你，结衣，我可是为你好才这么说的，但你那种不明不白的态度让人很不愉快。"

她嘴上说是为了由比滨好，结果还不是在考虑自己的感情和利益。这句话本身就自相矛盾。不过，在三浦看来这并不矛盾，谁让她是这个小团体的女王呢。封建社会的支配者就是绝对规则。

"对……对不起。"

"又来?"

三浦狠狠地冷笑一声，笑声中包含着无奈与愤怒的情绪。仅仅是这声冷笑，就把由比滨吓得蜷缩起来。

有完没完啊，烦死人了，连局外人都快看不下去，我受不了这种讨厌的氛围了，不要用你们的青春群像剧来影响观众啊。

我再次鼓起勇气，反正也不可能有人更讨厌我。风险为零的话，放手一搏又何妨。

我站起身来，打算朝她们两人走去，由比滨也眼泪汪汪地看向我。就在这时，三浦突然冷冰冰地质问道：

"喂，结衣，你在看什么地方？从刚才起就只顾着道歉……"

"你搞错道歉的对象了，由比滨同学。"

这声音比三浦的声音还要冷酷，有如北极的寒风，会让听者瑟瑟发抖，但同时也像极光般清澈动人。

明明只是出现在教室一角的门外，大家的视线都朝那里集中过去，就好像她是世界的中心。

能够发出这种声音的人，普天之下只有雪之下雪乃一人。

我也像是中了紧箍咒，站起一半的姿势都僵住了。刚才三浦的威胁与这相比，简直就像是骗小孩的把戏。跟雪之下做对手，连害怕的工夫都没有，脑海里只会浮现起超越恐惧，达到超脱境界的画面。

教室里的所有人都出神地望着她的身影。三浦敲桌子的声音不知何时已经消失，周围一片死寂。雪之下的嗓音率先打破了这种氛围。

"由比滨同学，你主动提出邀请又没去约好的地方，做人是不是有点问题？如果知道自己要迟到，至少应该想办法通知我才对吧。"

听到此话，由比滨才浮现起放下心来的微笑，朝雪之下走去。

"对、对不起。啊，可是我不知道小雪的手机号……"

"是吗？原来是这样。那就不能把错全怪在你头上，这次我就不追究了。"

雪之下没有理会现场的状况，自作主张地说着。她以自我为中心的态度让人忍不住拍手称快。

"等、等一下！我们的话还没说完！"

总算从僵硬状态恢复过来的三浦向雪之下和由比滨咄咄逼人地吼道。

火焰女王的怒火熊熊燃烧，火势之大比刚才还疯狂几分。

"有什么事吗？我可没时间搭理你，我还没吃午饭呢。"

"什、什么？你突然冒出来扯什么？我在和结衣讲话！"

"讲话？那只是号叫吧？原来你想靠那种语气来对话啊。在我看来只不过是歇斯底里症发作，把自己的意志单方面强加给对方罢了。"

"什么？"

"没注意到真是抱歉。因为我不了解你们的生态习性，一不小心还以为是类人猿在吓唬人。"

愤怒燃烧的火焰女王在冰雪女王的面前，也会被冻得结结实实。

"……"

三浦怒气冲冲地瞪着雪之下，但雪之下只是冷漠以对。

"你想当山大王虚张声势是你的自由，但请你在自己的势力范围内要威风，不然就会像你现在的妆容一样说剥落就剥落。"

"啊？你在说什么呀？真是莫名其妙。"

三浦嘴硬地顶了一句，又坐了下来。她气呼呼地摇晃着钻头似的卷发，烦躁地玩起手机。

没有一个人敢对她开口，就连善于嬉笑的叶山也只是打了个哈欠，应付过去。

由比滨僵在一旁。她紧紧地握着短裙的裙摆，似乎有话想说。或许是觉察到由比滨的意图了吧，雪之下先行离开了教室。

"我先走一步。"

"我，我也去……"

"随你的便。"

"嗯。"

听到雪之下的回答，由比滨甜甜一笑。但是，现场只有

由比滨一个人笑得出来。

喂喂，这是怎么回事啊……现在班里的氛围无比尴尬，几乎让人待不下去。等我回过神来，班上的大部分人要么装作口渴，要么就说要去厕所，争先恐后地离开了教室。剩下的人只有叶山和三浦的小团体，还有喜欢看热闹的围观群众。

我也只能随波逐流了！关键是氛围再沉重一点的话，我肯定会窒息而死。

我尽可能不发出声音，蹑手蹑脚地从由比滨身旁走过。那一刻，她轻轻地对我说。

"谢谢你刚才为我站出来。"

×　　　×　　　×

雪之下还在教室外。她靠在门边的墙上，双手抱臂闭着眼睛。也许是因为雪之下身上散发出来的气息太过冷漠，周围静悄悄的，一个人也没有。

也多亏如此，我才能听到教室里的对话。

"对、对不起。我不迎合别人就会觉得不安……总是会不由自主地看人脸色……可能就是因为这样，才会惹你生气。"

"……"

"呃，该怎么说呢？从以前起我就是这样，玩小魔女DoReMi的时候，明明想当DoReMi或者音符的，但是因为有其他人想当，我就只好做羽月了……或许是因为我在住宅区长大，周围总是有许多人，觉得这是理所当然的事吧……"

（注：《小魔女DoReMi》是日本动画，DoReMi、音符和羽月均为主角。）

"我不懂你想表达什么。"

"也、也是。就连我自己都不明白……不过，见到阿企和小雪后，我发现他们虽然没有朋友，但还是很快乐。明明总是斗嘴，却好像很合得来……"

呜呜咽咽的抽泣声传了出来。雪之下的肩膀跟着抖了一下。她微微睁开眼睛，想要探头看看教室里面的情况。白痴，从这里哪看得到。你要是那么担心，就到直接去里面看啊。真是不坦率的家伙。

"看到他们那样，让我觉得自己以往拼命迎合别人的做法似乎错了……你瞧，阿企总是超自闭的，下课时间也会一个人看书傻笑……虽然有点恶心，但他自己好像很快乐。"

恶心……听到这个形容，雪之下扑哧一笑。

"我还以为你只会在社团活动室展现出你的怪癖，没想到在教室里也一样。那样真的很恶心，所以还是改掉为好。"

"既然意识到了，你当时就该告诉我啊……"

"我才不要呢。本来就够恶心的了，我才不想跟你说话。"

看来下次真得多加小心了。我再也不要在学校读有邪神出现的轻小说。

（注：暗指同在 GAGAGA 文库，与作者同期出道的川岸殴鱼《邪神大沼》系列。）

"所以，我也想生得随意一点，不再勉强自己……之类的。不过，我并不是讨厌优美子，所以今后我们也能做朋友吗？"

"哦，是吗？好啊，又没什么不可以。"

三浦"啪嗒"一声合上了手机。

"对不起，谢谢你。"

随后，教室里的对话声戛然而止，取而代之的是由比滨穿着室内鞋向这边走来的声音。听到她的脚步声，雪之下直起身子，不再倚在墙上。

"真是的。原来她也能说出口啊。"

她在瞬间露出的笑容让我愣住了。

那不是自嘲、辱骂，也不是悲哀，而是极为单纯的笑颜。

而这个瞬间倏然逝去，那张面孔很快又变得有如冰晶般冷漠。我被雪之下的笑容深深吸引，她本人却毫不在意地朝走廊走去，一定是打算先去与由比滨约好的地点吧。

那我该如何是好呢？正当我跨出一步……

教室门被打开了。

"咦？阿、阿企为什么会在这里？"

浑身僵硬的我生硬地举起右手，向她打了个招呼，由比滨立刻满面通红。

"你听到了？"

"听、听到什么……"

"果然听到了！你偷听了吧！好恶心！跟踪狂！变态！呃，呃……好恶心！不敢相信！恶心死了，真的恶心到极点了啦！"

"你对我还真不客气啊！"

就算是我，被当面骂成这样也会难过的，而且说最后那句的表情不要那么认真，我真的会受伤啦。

"哈！事到如今我才不会跟你客气呢！你也不想想是谁的错，笨蛋！"

由比滨吐出粉红色的小舌头，动作可爱地对我发出挑衅，又一溜烟地跑开了。你是小学生吗？还有，别在走廊里奔跑。

"什么谁的错……当然是雪之下害的啊。"

我自言自语道。因为只剩下我一个人，这也是理所当然的事。

我看了看表，午休时间已经所剩不多。让人口干舌燥的

休息时间终于快要结束了，干脆去买盒 SPORTOP 来滋润一下我的喉咙和心田吧。

前往小卖部的途中，我忽然想到。

死宅也有死宅的小圈子，所以他们并不孤独。

现充必须小心留意阶级和权力的平衡，所以过得非常辛苦。

结果，还是只有我孤身一人。平冢老师即使不隔离我，我也被这个班级所排斥。所以，把我送去侍奉社隔离起来也毫无意义。

好悲哀的结论啊。现实真是够残酷！

只有 SPORTOP 能带给我香甜的抚慰。

由比滨结衣
Yui Yuigahama

雪之下雪乃
Yukino Yukinoshita

生日
6 月 18 日

特长
发邮件、K 歌、迎合别人

爱好
K 歌

下厨（从今天开始加油！）

假日生活
与朋友购物

与朋友 K 歌

与朋友拍大头贴

与朋友消磨时间

生日
1 月 3 日

（因为是寒假，所以从来没有同

学来一起庆生。）

特长
料理洗衣打扫等各种家务

合气道

爱好
阅读

（一般文学、英美文学、古典）

骑马

假日生活
阅读、看电影

🐤 第五章
换言之材木座义辉不是正常人

现在说这个或许有些迟了，总之侍奉社的活动主要就是接受学生的委托并提供帮助。

如果不事先强调一下，其他人可能真的搞不懂这个社团是干什么的。我和雪之下平时都在看书，由比滨从刚才起就一直在玩手机。

"呃。我说，你怎么会在这儿？"

由比滨一副理所当然的样子，所以我也不怎么惊讶。不过，她并不是侍奉社的社员。这么说来我是不是社员也值得商榷。呃，我真的是社员吗？可我已经想退出了啊。

"咦？啊，因为我今天有空咯。"

"咯？谁听得懂啊，你以为你是广岛人？"

"哈？广岛？我可是在千叶出生的。"

广岛方言会在句末加上"咯"，听到之后常有人说："咦？我还是第一次听说。"广岛腔的男人很吓人，但女性说广岛话就非常可爱，足以排进我精心挑选的十大可爱方言排行榜。

"哼，你以为你生在千叶，就能声称自己是千叶人了吗？"

"比企谷同学，你的话简直不明所以……"

雪之下用鄙视的眼神看着我，但我不以为然。

"来吧，由比滨……第一问，跌打损伤造成的内出血叫什么？"

"青斑！"

"唔！正确答案。没想到你也通晓千叶方言……接下来是第二问，学校伙食的经典配菜是什么？"

"味噌花生！"

"唔，看来你真的是土生土长的千叶人……"

"我刚才都说了咯。"

由比滨双手叉腰歪着脑袋，仿佛在说："这家伙在说什么呀？"

她身旁的雪之下把胳膊肘撑在桌子上，扶着额头叹气道："这是在干吗？你们的对话有什么意义？"

当然没意义啦！

"这只不过是一场横跨千叶县的机智抢答罢了。具体说来就是从松户到铫子。"

"距离也太短了吧！"

"不行吗？那佐原到馆山怎么样？"

"那不就成了纵跨了吗！"

你们光听地名就知道地理位置，到底是有多喜欢千叶啊？

"那么第四问。乘坐外房线前往土气方向时，突然出现的珍稀动物是什么？"

"啊，说起松户……小雪，我听说那一带有很多拉面店，下次一起去吧。"

"拉面……我不经常吃，所以不太懂。"

"没关系！我也不常吃！"

"咦？那怎么会没关系？可以请你解释一下吗？"

"嗯。然后啊,我记得在松户有家店叫什么来着……好像在哪看过说很好吃耶。"

"你有在听我讲话吗?"

"嗯?在听哦。啊,不过这一带也有好吃的店。我家就在附近,所以特别了解。从这边走过去只要五分钟,我遛狗的时候也经常路过。"

正确答案是鸵鸟。哎呀,乘电车的时候窗外突然有鸵鸟出现,那种心情已经超越惊讶,变成感动了啊!

呼……

我不再理会这两个不着边际地聊起拉面店的女生,开始继续读书。

这里明明有三个人,为什么我还是如此孤独……

不过,这样打发时间还算有高中生的感觉。比初中生活动范围更广的高中生,会对打扮和美食等等更感兴趣,所以拉面店的话题也比较适合高中生。

只不过普通高中生不会玩横跨千叶县的智力抢答。

×   ×   ×

第二天我来到社团活动室时,雪之下和由比滨都难得一见地站在门外。不知道那两个家伙在搞什么的我仔细一瞧,只见她们两个把门拉开一条缝,正在窥探里面的情况。

"你们在干吗?"

"呀!"

伴随着可爱的尖叫声,两人的身体都颤抖起来。

"比企谷同学……你、你吓到我了……"

"被吓到的是我才对……"

这算是什么反应？半夜在客厅撞见我们家猫也会这样。

"可不可以请你不要突然发出声音？"

雪之下不高兴地瞪着我，连这副表情都和我们家猫一模一样。说起来，那只猫在我们家只跟我不亲近。包括这点在内，雪之下都跟我们家的猫极为相似。

"是我不好啦。你们到底在干吗？"

我又问了一次。由比滨还保持着刚才的姿势，从房门的缝隙间看着教室内答道：

"社团活动室里有个可疑人物。"

"你们才是可疑人物。"

"够了，你话太多。拜托你进去看看情况。"

雪之下神情不悦地命令道。

我遵照指示，来到她们两人面前，小心地推开房门走了进去。

迎接我们的是一阵风。

在开门的瞬间，海风拂面而来。这所学校修建在海边，风向非常独特，一沓纸也因此在教室内四散飞扬。

眼前的景象仿佛是魔术师从礼帽中变出了几只漫天飞舞的白鸽。在纯白色的世界中，一个男人巍然挺立。

"呵呵呵，没想到我们居然会在这里相遇。我等你很久了，比企谷八幡。"

"你、你说什么？"

没想到会相遇，怎么可能在这里等我很久了？我才惊讶呢，好不好。

我挥落了飘零的白纸，定睛看向对面那个人。

结果……站在那里的人居然是……不对，我不认识他。我才不认识材木座义辉这号人物。

　　虽然这所学校的学生我基本上都不认识，但在我不认识的群体中，他也是我最不想靠近的那个人。明明已经快到夏天，满头大汗的他还穿着大衣，戴着半指手套。

　　我怎么可能认识这种人呢？

　　"比企谷同学，他好像认识你……"

　　雪之下躲在我的背后，一脸讶异地交替看向我和对面那人。她那冒冒失失的眼神使对方有些胆怯，但又马上冲着我抱起双臂，"呵呵呵"地沉声笑了起来。

　　他叹了口气，夸张地耸着肩膀，又缓缓地摇了摇头。

　　"我的好搭档竟然会忘记我的容颜……我真是错看你了，八幡。"

　　"他说是你的好搭档……"

　　由比滨也用冷冷的视线盯着我，眼神仿佛在说："人渣，都给我去死吧!"

　　"没错，我们是好搭档。你应该也还记得吧，我们一同度过了那段宛如地狱的时光……"

　　"不就是在体育课上分成一组吗……"

　　我忍不住还口，对方却浮现起沉痛的表情。

　　"哼。那种道德败坏的陋习不正是地狱吗？找喜欢的人组成一队？呵呵呵，吾乃不知大限何时到来之人，岂会妄自倾慕于人……吾不愿体会有如丧失半身的离别之苦。如果那便是爱，吾宁可弃之!"

　　男子遥望窗外，那片天空中一定浮现出了他深爱的公主的情影吧。话说回来，这些人怎么都喜欢看《北斗神拳》？

　　总之，到了现在这个地步，就算是迟钝的家伙也该有所察觉。这家伙脑袋坏掉了。

　　"你找我有什么事，材木座?"

"哼，汝总归说出深刻于吾灵魂深处之名了吗？正是！吾乃剑豪将军——材木座义辉是也！"

男子哗啦一声甩起大衣，露出彪悍的男子汉神情，猛然转过头来。看来他已经彻底沉浸在自己创造出来的剑豪将军的设定中了。

看到他的架势，我的头一阵刺痛。

不，与其说是头痛，应该是心痛才对，再加上雪之下和由比滨的视线也刺得我好痛。

"喂……那家伙是什么来头？"

由比滨流露出与其说是不悦，更像是不舒服的神情瞪着我。她干吗瞪我啊？

"这位是材木座义辉。体育课跟我一组的家伙。"

老实说，我和材木座之间的关系仅限于此……不过，说他是帮我熬过那段地狱时光的搭档倒也不算错。

找喜欢的人组队的确是地狱。

材木座也对那种痛苦和难堪有所体会。

自从第一次上体育课，找不到人结伴的我和材木座成为搭档，我们就一直是一组。其实我很想把这个中二病的中分男换走，但这只不过是痴心妄想，所以我只好放弃。另外，我也有考虑过宣布成为自由球员，但遗憾的是像我这种级别的选手，签约金会高到找不着下家。不对吧？当然不对啦，单纯只是因为我和那家伙都没有朋友。

雪之下听了我的解释，又交替看向我和材木座，颇为认同地点点头。

"这就所谓的'物以类聚，人以群分'。"

她得出了一个糟糕透顶的结论。

"笨蛋，别把我和他相提并论。我可没他那么蠢，更何况

我和他根本不是朋友。"

"哼，对此吾亦有同感。诚然，吾并无挚友……好生孤独啊，唉！"

材木座伤感地自嘲起来。喂，你的语气又变成白话文了。

"你们的关系怎样都好。只是你的这位朋友不是找你有事吗？"

听到雪之下这么说，我差点流下两行清泪。"朋友"这个词会让我难过到这种地步，还是初中以来的第一次。

打从香织说出"我很欣赏比企谷同学的温柔体贴，但交往就有点……嗯，我们还是做朋友吧"那句话以来的第一次……我才不需要这种朋友……

"喳哈哈哈！对了，我差点儿忘了。八幡啊，这里就是侍奉社没错吧？"

材木座又恢复成平常的状态，发出一连串怪笑瞧着我。

这是什么笑声？我还是第一次听到。

"是啊，这里是侍奉社。"

雪之下替我答道。材木座看了雪之下一眼，又迅速地将视线移回到我的身上。我说你怎么老是看着我啊？

"这、这样，倘若正如平冢老师所言，八幡，汝有义务助吾实现愿望。谁能料到我们的主仆关系竟能跨越数百年呢……这也是八幡大菩萨的引导吗？"

"侍奉社不会替你实现愿望。我们只能帮忙。"

"唔，唔嗯。八幡啊，助吾一臂之力吧。呵呵呵，回想起来，你我可谓是棋逢对手，让我们再度同掌天下吧！"

"你刚刚不是才说是主仆关系吗？还有你干吗总是盯着我？"

"唔哈唔哈！你我之间何必斤斤计较！这次我就饶了你吧。"

材木座以离谱的动作装模作样地咳了几声，依然盯着我不放。

"对不起，几位。看来这个时代与往昔相比污秽许多，沧海桑田人心不古啊。好怀念清净的室町时代……你不这么认为吗，八幡？"

"不这么认为，还有你怎么还不去死？"

"呵呵呵，生亦何欢死亦何苦！往生亦可窃国为侯！"

材木座高举双臂，让大衣哗啦哗啦地随风舞动。

他对"去死"这句话的抵抗力果然很强……

我也和他一样，因为早就习惯被骂或爆粗口，所以用打哈哈还嘴的能力已经修炼到了炉火纯青的程度。多可悲的技能啊，我都要泪如泉涌了。

"哇啊……"

由比滨倒退几步。不知是不是我的错觉，她的脸色有点发青。

"比企谷同学，你过来一下……"

雪之下扯着我的袖子耳语道。

"他是怎么回事？那个自称剑豪将军的人。"

她那张讨人喜欢的脸蛋近在眼前，身上还飘来一股香味，只可惜台词实在是大煞风景。

对于这个问题，用一句话来回答就够了。

"中二病啦，中二病。"

"中二病？"

雪之下歪起脑袋看着我。我突然发现，女生说"中"这个字的时候唇型超可爱的，真是了不起的发现。

一直在旁听的由比滨也加入进来。

"这是一种病吗？"

"不是真正的疾病。你可以把它理解为网络流行语。"

所谓的中二病，就是初中二年级前后，经常做出难堪举止的一群人。

而材木座属于"厨二"和"邪气眼"类型。

（注：日语中"厨"与"中"发音相同，因此"厨二"是"中二"的衍生词。"邪气眼"则是幻想自己拥有某种特殊能力的妄想症表现。）

憧憬漫画、动画、游戏和轻小说中出现的能力或不可思议的力量，于是行为举止也伪装得像是自己拥有那种能力。当然了，为了让拥有超能力这件事显得合乎情理，就必须给自己套上传说中的战士转世、神选之人或特务机关的间谍等设定，并依照这些设定来行动。

为什么要做这种事？

当然是因为有型啊。

初中二年级的时候，不论是谁大概都有过类似的幻想。边说"电视机前的观众朋友们，大家晚上好。今天为大家带来的新歌呢，是我以心如刀割的爱情为主题自己填词的"，边在镜子前练习，这样的经历你有过吗？

中二病其实就是这种行为的极端案例。

听了我对中二病简单扼要的解释，雪之下似乎已经明白了。我常常会想，这家伙的脑袋真是聪明得令人惊叹。哪怕只是大致的说明，她也能迅速把握事物的本质。说她是举一反十都不为过。

"完全搞不懂……"

与雪之下正好相反，由比滨不耐烦地嘀咕道。换作是我，仅凭刚才的说明大概也听不懂，不如说这样就能明白的雪之下才是怪人一个。

"哦……就是照着自己的设定演戏吧?"

"差不多。那家伙的设定似乎是参考了室町幕府的十四代将军足利义辉。两者名字一样,所以比较好编。"

"那他为什么会把你视作同伴?"

"应该是从八幡这个名字硬扯到八幡大菩萨吧。清和源氏将八幡大菩萨当做武神信奉。你听说过鹤冈八幡宫吗?"

听了我的回答,雪之下突然沉默不语。干什么啦?我用目光质问她,雪之下却瞪起眼瞧着我。

"真没想到你居然这么了解。"

"呃……还好吧。"

可怕的回忆在我的脑海中一闪而过,所以我不禁别过脸转移了话题。

"材木座总是引经据典的确很烦,但他至少有考据过去的历史,所以还算能接受。"

听了我的说明,雪之下瞥了一眼材木座,露出发自心底的厌恶表情问:

"还有比他更糟的吗?"

"有。"

"那你说来听听,让我参考一下。"

"这个世界曾有七位神明,分别是创造三神'贤帝珈蓝'、'女战神梅西卡'、'心之守护者哈缇娅',破坏三神'愚王奥尔特'、'死亡佛堂罗格'、'疑神疑鬼莱莱'与永恒欠神'无名神',他们操纵着这个世界繁荣与衰退的循环。目前我们正处在第七次重新构造的世界里。为了防止这次的灭亡,日本政府已在寻找众神的转世。在七神之中尤为重要,能力至今未知的永恒欠神'无名神'正是我比企——喂,你也太擅长诱导提问了吧!好可怕,我差点就全部抖搂出来了!"

"我又没有诱导你……"

"好恶心……"

"由比滨，说话的时候注意一点，搞不好我就自杀了。"

雪之下无奈地叹了口气，来回看着我和材木座说：

"也就是说，比企谷同学和那个人是同类。难怪你那么了解剑豪将军之类的东西。"

"不不不，你在说什么呀，雪之下同学。这怎么可能呢，雪之下同学。我之所以会了解，是因为那个啦，我有选修日本史这门课，而且还玩过《织田信长的野望》。"

"哦？"

雪之下以充满怀疑的眼神盯着我，好像在叫我去死。

但我并没有退缩，因为我和材木座不是同类。我可以挺起胸膛正视雪之下，是她说错了。

我和材木座不是同类，而是"曾经"是同类。

八幡这个名字不常见。所以，我曾以为自己是特别的存在。从小我就喜欢看漫画和动画，会产生这样的妄想也是情有可原。

在被窝里想象自己拥有神秘的力量，突然有一天力量觉醒，自己不得不投身于攸关世界存亡的战争。为了这一刻的到来，我开始写神界日记，每三个月还要给政府写一份报告。这种事每个人都做过吧……呃，难道没有？

"好吧。以前或许是，但现在不同了。"

"谁知道呢？"

雪之下捉弄人似的笑了笑，从我身旁走向材木座。

我目送着她的背影心想，我真的与材木座不同吗？

答案是肯定的。

我已经不再做愚蠢的妄想，神界日记和政府报告也放弃了，最近顶多会写写"绝对不可饶恕的名单"，首当其冲的那个名字就是雪之下。

我不会在做完高达模型后，自己模仿效果音玩人偶游戏，也不会用晾衣夹打造最强机器人。我已经过了用橡皮筋和铝箔纸打造护身武器的年龄，也不再拿父亲的大衣和母亲的人造皮围脖玩角色扮演。

我和材木座不一样。

思来想去我得出了这个结论。雪之下已走到材木座的面前，由比滨似乎小声嘟哝了一句"小雪快逃"。我说你这样讲有点过分了吧？

"我大概明白了。你的委托就是治好你的病吧？"

"八幡啊，依照汝与余之契约，朕为实现心愿奔波至此。这是崇高的欲望，也是我唯一的愿望。"

材木座望着我，不敢直视雪之下。他的第一人称和第二人称都用得乱七八糟，脑子里究竟有多混乱啊。

这时我忽然发觉，这家伙……只要雪之下对他开口，就一定会看向我。

不过，我也不是不能理解他的心情。换作是我，如果不了解雪之下的本性，被她搭话也会不知所措，以至于无法正视她的脸。

雪之下却没有体恤纯情少男的体贴之心。

"跟你说话的人是我。别人讲话的时候，请你看着对方。"

雪之下冷冷地说完，还揪起材木座的领子，逼他转回正面。

没错，雪之下自己都不懂礼貌，还总是啰里啰唆地要求别人守规矩。正因为这样，我才养成了每次进入社团活动室会先打招呼的习惯。

雪之下松开了材木座的衣领。材木座一本正经地咳了几声，看来他已经顾不上塑造角色形象了。

"唔，唔哈，唔哈哈哈哈！真没想到……"

"别用那种语气说话。"

"……"

遭到雪之下冷漠对待，材木座默默地低下了头。

"为什么在这种季节还穿着大衣？"

"唔，唔嗯。这件外套是守护我不受瘴气侵袭的护具，原本是我持有的十二神器之一，在我转生到这个世界后，它才变成了贴合身形的形态。呵哈哈哈哈！"

"不许那样讲话。"

"啊，是……"

"那你那双半指手套呢？有意义吗？又没法保护指尖。"

"啊，是的。呃……这是我从前世那里继承的十二神器之一，能射出金刚钢丝的特殊护手。为了保障操作性，赋予它一定的自由度，我才露出指尖的……就是这样！呵哈哈哈哈哈！"

"说话语气。"

"哈哈哈！哈哈哈，哈……"

放声大笑的材木座声音越来越小，悲伤地叹了口气，直到最后彻底闭上了嘴巴。

或许是觉得他有些可怜吧，雪之下的脸上浮现起温柔的神色。

"总之，只要治好你的病就行了吧？"

"啊，这个又不是病。"

材木座将视线从雪之下身上移开，用几乎听不到的声音喃喃道。他一脸为难地向我频频使眼色。

他已经变回普通人了。

材木座的胆量还没有大到敢在雪之下炯炯的注视下装神弄鬼。

啊啊！我看不下去了啦！材木座真可怜，连我都想帮他一把了。

我向前踏出一步，正打算拉开雪之下和材木座，脚边却响起了某种声音。

那是刚才在社团活动室内漫天飘舞的纸张。

我捡起一张，只见上面黑压压地排列着一大片异常艰涩的汉字。

"这是……"

我抬起头环视房内，发现这种"42 字×34 行"的稿纸散落一地。我一张一张地捡起，按照序号整理了一遍。

"嗯，我还什么都没说，你就明白了，真不枉我们共同度过那段地狱时光。"

材木座感慨良多地嘟哝着，由比滨却彻底无视了他，视线落在我手中的稿纸上。

"那是什么?"

由比滨接过我手里这沓纸翻了起来。她满头问号地看完后又长叹一口气，把稿纸还给了我。

"这是什么?"

"应该是小说的原稿吧。"

听到我的解释，材木座装模作样地咳了一声。

"实在不敢当。这的确是轻小说的原稿。我想投给某个新人奖，但身边没有朋友，无法倾听其他人的感想。请你们读读看吧。"

"你好像若无其事地说出了无比凄凉的事实呢……"

中二病患者想要成为轻小说作家可以说是理所当然。想把

自己喜欢的东西转化为有形之物是很正常的感情，相信有妄想症的自己一定能写出好作品也不足为奇，更何况能靠爱好糊口也是一件幸福的事。

所以，材木座立志成为轻小说作家并不奇怪。

奇怪的是他居然专门把原稿拿给我们看。

"网上不是有投稿网站和论坛吗，你贴那上面不就行了？"

"我办不到。那些家伙嘴巴都不饶人，要是惨遭差评，我可是会自杀的。"

你也太脆弱了吧。

不过，隔着网络不用面对面，说话的确放得开。对身边的朋友，就会考虑对方的感受，适当地发表一下意见。

本来按照我们和材木座的交情，不会说出什么严厉的意见。毕竟当面批评很冒犯，所以大家都会表达得比较含蓄。不过，这只是通常来说。

"可是啊……"

我叹气地看向一旁，与我四目相对的雪之下一脸茫然。

"比起投稿网站，雪之下的意见可能会更残酷哦。"

×　　　×　　　×

我、雪之下和由比滨各自带走了一部分材木座的原稿，约好用一个晚上读完。

材木座创作的小说题材是校园超能力战斗。

故事的舞台位于日本的一座小城镇，秘密组织和保有前世记忆的超能力者在夜色中蠢蠢欲动。主人公是一位平凡无奇的普通少年，潜藏在体内的力量觉醒后，他就如砍瓜切菜般打倒敌人。这部设定恢宏的巨著讲述的就是这样一个故事。

等我全部读完时，天已经亮了。

结果今天的课几乎全被我睡过去，总算浑身乏力地撑过第六节课又熬过班会，我向社团活动室走去。

"等一下！等等我啦！"

我刚刚走进特别大楼，背后传来了大喊大叫的声音。我回过头去，只见由比滨扛着瘪瘪的书包追了上来。

她格外有活力地来到我身旁。

"阿企，你好像很没精神呢。怎么了？"

"不对吧，读了那种东西当然会没精神……我快困死了。我还想知道你读了那本书，怎么还这么活蹦乱跳的？"

"咦？"

由比滨眨了眨眼。

"啊，也、也是哦。哎呀，我也超困的啦！"

"你根本没看吧？"

由比滨没有回答我，而是眺望窗外哼起了小曲。尽管她佯装不知，但脸颊和脖子上都冒出了大滴大滴的冷汗。不知道她的衬衫会不会因此变得透明。

×　　　　×　　　　×

我打开社团活动室的门，雪之下竟然在打瞌睡。

"辛苦了。"

我打了个招呼，雪之下却依然安详地趴在桌上，发出均匀的呼吸声。她那仿佛在微笑的表情与往常的铜墙铁壁完全不同，我不由得为这种反差心跳加速。

雪之下温柔的睡相几乎让我想永远看下去。轻轻飘动的黑发，晶莹洁白的娇嫩肌肤，水汪汪的杏眼，还有那精致的粉红

色唇瓣。

这时，她的嘴唇微微动了一下。

"吓我一跳，一看到你的脸我就顿时清醒了。"

哇啊……我这才如梦初醒。差点就被她骗得晕头转向，这女人还是永远沉眠的好。

雪之下像小猫一样打了个哈欠，又举起双手伸了个大大的懒腰。

"看样子你也奋战了一夜。"

"是啊，我已经很久没有熬夜了，而且我又没有读过这类书……还是不合我的口味。"

"嗯，我也不喜欢。"

"你根本就没读吧！现在开始读啦。"

听到我的指责，由比滨哼了一声，从书包里取出了那本原稿。只见稿纸平平整整，保存状态十分完好。由比滨以异常的神速哗啦啦地翻阅起来。

她好像也提不起兴趣。我斜眼瞄着她说：

"材木座的原稿不能代表所有轻小说。有趣的作品也是有的。"

我很清楚这句话是在拆材木座的台，但还是坦率地说出了自己的意见。雪之下歪起脑袋问：

"像是你之前读的那本书?"

"是啊，很有趣的哦。我比较推荐 GAGA……"

"等有机会了再说吧。"

我回味着"说出这种话的人绝对不会去读定理"，教室门突然被一阵狂敲。

"叨扰了。"

材木座以带有古代韵味的口吻打过招呼，便走进教室。

128

他不客气地拉把椅子坐下，得意洋洋地抱起双臂，脸上满是优越感，看他的表情似乎很有自信。

坐在对面的雪之下却难得一见地露出了抱歉的神色。

"对不起。我对这种书不太了解……"

听了雪之下的开场白，材木座落落大方地回应：

"无妨。我正好想听听世俗的意见。你说来听听。"

雪之下简洁地回了句"是吗？"便轻轻地吸了口气说出自己的看法。

"无聊透顶，让我痛苦极了，简直无聊到了超乎想象的地步。"

"咕噗！"

看来雪之下一刀就夺去了对方的性命……

材木座浑身颤抖着向后一仰，椅子也发出嘎啦嘎啦的声响，但他还是勉强调整好了姿势。

"唔，唔嗯……可、可否指正是哪里无聊以做参考吗？"

"首先，语法一团糟。为什么总是用倒装句？你知道介词的用法吗？难不成在小学没学过？"

"咕噗……这、这是为了通过简单平实的文体，来博得读者的亲近感……"

"这种事要等你会用日语写作之后再考虑吧？还有，你的假名标注错误太多了。在'能力'上面注'chikara'，哪有这种叫法的？明明写作'幻红刃闪'，却标着'Bloody Nightmare Slasher'，这是哪门子的译法？'Nightmare（噩梦）'是从哪儿冒出来的？"

（注：日语里 chikara 是力的读音，能力的发音为 nouryoku。）

"咕噗！唔，唔唔。不是啦！最近的超能力战斗都会标上特别的……"

"那只不过是自我满足罢了，除了你没人能看懂。你真的

有心让别人读你的作品吗？对了，说到这个，你的剧情安排过于老套，读之前就能猜到下面的剧情，所以读来毫无趣味。另外，女主角为什么会在这里脱衣服？完全没有逻辑必然性。"

"唔啊！可、可是据说没有这种要素就卖不出去……至于情节发展，我……"

"背景介绍太长，字数偏多，造成阅读困难。最重要的是，你怎么能把还没有完成的作品拿给别人看呢？比起培养文采，你还是先学点常识吧。"

"呀啊！"

材木座抻开四肢发出一声惨叫。他肩膀抽搐不已，望着天花板翻起白眼。这种夸张的反应连我都看腻了，某人你还是适可而止吧。

"差不多可以了吧。一次性全说出来，有点得理不饶人的意思。"

"我还没说什么呢……好吧，算了。换由比滨同学讲讲吧。"

"咦？我，我吗？"

由比滨惊讶地应了一声，眼眶湿润的材木座向她投去求救的眼神。由比滨看他可怜，只好双目望向空中，搜肠刮肚地找出夸奖他的话。

"呃，我、我觉得……你、你知道很多难懂的词汇呢。"

"噗哈！"

"你这可是给了他致命一击啊……"

对于有志成为作家的人来说，这句话根本就是地雷。因为被这样评论就意味着作品的可取之处仅此而已。所以，向不怎么读轻小说的人询问意见时，往往会得到这样的答复。一旦小说收到这种评价，那就等于是"无趣"。

"那、那……阿企你来说。"

由比滨逃离座位，把椅子让给了我。等我坐在材木座的正面后，她就逃到我斜后方的座位坐下。

她似乎是不敢正视已经燃烧殆尽、面色惨白的材木座。

"咕，咕唔……八、八幡，你应该能理解吧？理解我所描绘的世界，亦即轻小说的地平面！这可是愚民们无法理解的高深作品。"

是啊，我清楚得很呢。

我点点头，让材木座放心。材木座的眼神也传达出了他对我的信心。

看来我若是不回答他，就有违男子汉的气度了。我做了个深呼吸，语气温柔地说：

"说，你抄的是哪部作品？"

"咕噗！唔，唔呼……唔呼呼……"

材木座在地板上连滚几圈，猛撞到墙才停下，还保持着那个姿势纹丝不动。他空洞的双目仰视着天花板，脸颊上淌下一行清泪，看来已经进入了想要一死了之的状态。

"你好恶毒，比我还不留情面。"

雪之下也向后倒退几步。

"喂。"

由比滨用手肘戳了戳我的腰，似乎是想告诉我"还有别的话可以讲吧"。那我该说点什么呢……思考片刻之后，我忽然想起自己忘了最关键的部分。

"嗯，反正插图才是重点，故事不必计较太多。"

×   ×   ×

有那么一会，材木座都在重复吸气、吸气、呼气的拉梅兹

分娩呼吸法，好让自己平静下来。最后，他犹如刚出生的小鹿，四肢哆嗦着站起身来。

材木座拍掉身上的灰尘，目不斜视地看着我。

"你们，还愿意读我的作品吗？"

我不由得怀疑自己是不是听错了，没能理解他想说什么的我没有回答，结果他又把同样的话重复了一遍。这次比刚才还要响亮。

"你们还愿意读我的作品吗？"

炽热的目光投向我和雪之下。

"你……"

"是受虐狂吗？"

由比滨躲在我背后，一脸厌恶地瞅着材木座，仿佛在说："变态，去死吧！"哎呀，问题不在这里啦。

"你被我们批评得那么惨，还想写下去吗？"

"当然了。我确实被骂到体无完肤，以至于刚才都想去死算了，反正活着也不受欢迎又没有朋友，不过最好还是除我以外的地球人都去死。"

"有道理。换作是我，被批成那样也会想死的。"

可是，材木座听了那些话，还是大胆宣言：

"尽管如此，我仍然非常高兴。把自己写出来的东西拿给别人读，再听听他们的感想，是件很有意思的事呢。我不知道该怎么形容这种心情……但你们读了这本书，我真的很开心。"

材木座说完便笑了。

那绝非是剑豪将军的笑容，而是材木座义辉的笑容。

嗯，原来如此。

这家伙不光有中二病，还罹患了严重的作家病。

人们之所以会写作，正是因为有想要传达给别人的东西。

133

如果作品能打动人心，就会感到由衷的喜悦。因此，作者会不断创作下去。即使没有人认可，也会奋笔疾书。这种状态就是所谓的作家病。

那么，我的答案也有了定论。

"好啊，我愿意。"

我怎么会拒绝他呢？这说明材木座的中二病已经达到了登峰造极的境界。即使被当成神经病，惨遭白眼，受人无视，沦为笑柄，也绝不屈服或放弃，这就是他坚持将妄想化为有形之物的最好证明。

"等我写了新作再拿过来。"

材木座说完便转过身，昂首挺胸地大步走了出去。

关上的那扇门似乎有些耀眼。

哪怕是扭曲、幼稚或错误，只要贯彻到底就是正确的。倘若只是遭到别人否定就轻易改变，那就不配称作梦想或自我了。所以，材木座不需要改变——除了他让人不舒服的部分。

×　　　×　　　×

在那之后又过了几天。

今天的第六节课是体育课。

我和材木座还是老样子，被迫凑成了一组。

"八幡，最近流行的插画圣手都有谁？"

"你想太多了。那种事还是等拿到奖再说吧。"

"嗯，那倒也是。问题在于我应该从哪家出版社出道呢……"

"我说你怎么总是以受赏为前提？"

"作品大卖被改编成动画后，有可能跟声优结婚吗？"

"行啦，你想多了。还是先把稿子写好吧，知道吗？"

我和材木座开始在体育课上交谈。若说改变的地方，也只有这点。

　　不过，我们的对话都很无聊也不愉快，并不会像周围的人那样边说边放声大笑。

　　聊的内容既不潮也不帅气，净是些蠢到不行的话题。

　　连我自己都觉得可笑，没有半点内涵。

　　但至少体育课不再是"讨厌的时光"。

　　仅此而已。

升学就业指导调查表

总武高级中学	2 年 C 班

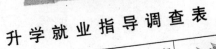

姓名	Zaimokugi　　Yoshiteru
姓名	**材木座　义辉**

⑨ 男 · 女

座位号	12

请写下你的座右铭。

驰骋战场，吾乃凶刃。

你在毕业相册上"将来的梦想"这栏写的什么?

小学→漫画家
初中→小说家

为了将来，你在做怎样的努力?

为了终将到来的战斗，手腕上一直戴着一公斤重的护腕。

老师的评语
你在和谁战斗呢?
还有就是卸掉那个护腕，你体内蕴藏的力量也不会变强。
梦想从漫画家变成小说家，是因为你不会画图吗?

『材……什么的，你的脑袋真的好悲哀。』

『材木座，统一好你的人生和角色设定！』

第六章
可惜户冢彩加是伪娘

妹妹小町捏着一片涂满果酱的切片面包，正专心致志地阅读时尚杂志。我在一旁品味着清晨的黑咖啡观察她。

文章中不断出现"Love 大作战"和"Super 人气王"之类不伦不类的词语，让人忍不住心头火起。这些愚蠢的流行语气得我直撇嘴，连咖啡都从嘴角流了出来。

喂，有没有搞错啊？日本还有未来吗？这篇报道若是换算成偏差值，我估计连 25 都不到吧。妹妹还看得不停点头，真不知道她在感慨什么？

据说这本名叫《Heaventeen》的杂志是当下的女初中生之间最流行的时尚杂志，几乎人手一本，以至于没读过的人可能会遭到欺凌。

（注：暗指集英社的时尚杂志《Seventeen》。）

小町由衷佩服地"哦"了一声，面包屑还沙沙地往杂志上掉。你以为你在演汉塞尔和葛丽特啊？

（注：出自格林童话《糖果屋》。）

现在的时间是七点四十五分。

"喂，注意时间。"

我用胳膊轻轻碰了一下还在专心看杂志的妹妹，提醒她该

138

出门了。小町猛地抬起头，看了一眼时钟。

"哇，糟了!"

小町怪叫一声，阖上杂志起身。

"喂喂，看看你的嘴角，上面还沾着东西呢!"

"咦，不是吧? 果酱了?"

"你的嘴巴是自动步枪啊? Jam 的用法错了啦。"

【注：小町将果酱（jam）当成动词使用，变成了"卡住"的意思。】

妹妹喊着"糟糕"，用睡衣的袖子擦了擦嘴角。我家妹妹真有男子气概。

"对了，哥，你怎么经常说些我听不懂的话呢?"

"说天书的人是你才对吧!"

小町完全没把我的话听进去，手忙脚乱地开始换制服。她脱掉睡衣，露出洁白光滑的肌肤，白色的运动内衣和白色内裤。

别在这里脱衣服啦。

妹妹是种不可思议的存在。不管她们多可爱，你都不会有特别的感觉。她的内衣也不过是普通的布料。可爱归可爱，但只会让你觉得"果然是因为跟我很像"。现实中的妹妹就是这样一种生物。

我一边瞧着小町穿上俗气的制服，隐约可见内裤的及膝短裙和翻边短袜，一边把砂糖和牛奶挪到面前。

小町给自己制定了胸部强化月的计划，最近经常喝牛奶。其实这种事怎样都好。

不过，"妹妹喝过的牛奶"这句话一旦加上引号，就会显得有种违背道德的情色感。其实这种事也怎样都好。

我把砂糖和牛奶挪过来并不是因为它是"妹妹喝过的牛

奶"，单纯只是想把它加进咖啡而已。

身为地地道道的千叶人，据说我出生后是用麦克斯咖啡（MAX COFFEE）洗了第一次澡，喝着麦克斯咖啡长大而不是母乳。对我来说，咖啡一定得甜，最好再配上炼乳。

（注：麦克斯咖啡是日本可口可乐公司于1975年推出的一款罐装咖啡，最初是千叶县等地的地区限定商品，从2009年起正式于全国上市。）

黑咖啡我也能喝就是了。

"人生苦短，至少该让咖啡甜点。"

我小声说出了被拿去做麦克斯咖啡的广告词都不为过的自言自语，又将变甜的咖啡灌入口中。

真是妙不可言啊……刚才那句广告词，说不定真的会被采用呢。

"哥哥！我准备好啦！"

"你大哥我还在喝咖啡呢……"

我蹩脚地模仿着电视上重放的《北国之恋》答道，小町当然没有发现，还开心地哼唱着："要迟到了♪要迟到了♪"她到底是想迟到，还是不想迟到呢？

（注：《北国之恋》是1981至2002年间播出的电视剧。）

大概几个月前，我这个傻妹妹曾彻底睡过头，等她起来已经快迟到，我只好蹬自行车载她去学校。

自打那次之后，我送她上学的次数就像滚雪球般越来越多了。

这世上没有什么东西比女人的眼泪更不可信，尤其是小町这家伙，拥有妹妹特权的她早就掌握了利用哥哥的本领，手段高明。我脑海中对女人的印象被改写成"女人＝像我妹妹小町那样利用男人的人"也全是她的错。

"我不相信女人都是你害的。要是结不了婚，以后老了该怎么办？"

"那时小町会帮哥哥想办法的。"

小町微微一笑。我原以为她还是个孩子，但她此时的表情流露出几许成熟的韵味，让我的心跳有些加快。

"我会努力攒钱，把哥哥送去养老院。"

与其说是成熟的韵味，不如说是成熟的意见。

"你果然是我的妹妹。"

我不由得叹了口气。

我将咖啡一饮而尽站了起来，小町在背后一个劲儿地推我。

"都怪哥哥磨磨蹭蹭的，已经这么晚了！小町要迟到啦！"

"臭丫头……"

如果这家伙不是我妹妹，我早就一脚踹上去了。普通家庭都是重男轻女，但我们比企谷家偏偏反其道而行之。老爸对妹妹的溺爱非比寻常，那句"胆敢接近小町的男人，哪怕是亲哥哥也照杀不误"的名言已经深深烙印在我的心里。如果我敢踢妹妹一脚，绝对会被扫地家门。

概括说来，我在学校里是平民，回到家也处在最底层。

走出门厅，我骑上自行车，让小町坐在后面。她伸出双臂，环抱住我的腰。

"出发！"

"你还没向哥哥道谢吧！"

道路交通法禁止两人同乘自行车，但小町的智商等同婴儿，所以请大家谅解。

我轻快地骑了起来，小町忽然对我说：

"这次可不要遇到交通事故。今天小町也在车上。"

"你的意思是我一个人的时候遇到事故也没问题吗……"

"没有没有。哥哥有时会顶着一对死鱼眼发呆，所以我才会担心的嘛。这也是妹妹对你的爱哦。"

说出这句话时，小町用脸蹭起我的背。要是没有刚开始那半句，听起来还蛮可爱的，但事已至此只会让我觉得她是在故意欺负我。

不过，我也确实不想让家人担心。

"嗯，我会小心的。"

"小町坐在车上的时候要特别小心哦，记住了？"

"你想让我从台阶上骑过去吗，臭丫头？"

我嘴上虽这么说，但并没有真的走那条路线，我不想像上次送她时那样，听她在后座叫嚷着"好痛呀、屁股被撞到了、贞洁不保"等等，所以就选了条平坦的路。由于她上次的大喊大叫，害得我被四周的邻居当成了变态冷眼相看……

无论如何，安全第一。

我高中开学第一天就遇到了交通事故。因为过于期待开学典礼和新生活，我提前一个小时离开家门，结果却倒了大霉。

或许是因为当时是早上七点左右，一个在高中附近遛狗的女生不小心松开了狗链，正好又有一辆看上去是有钱人家的小轿车朝那边驶去。等我回过神时，自己已经竭尽全力地冲了过去。

结果就是我被急救车送去医院，在里面住了三周。从那刻起，就注定了我在新学校也只能过孤零零的校园生活。

事故导致我原本崭新的自行车彻底报废，黄金左脚也出现了龟裂骨折。

如果我会踢足球，说不定已经给日本足球界的未来蒙上一层阴影了。幸好我不会踢足球。

我的伤势不重，可以说是不幸中的万幸。

真正伤人的是，在我住院期间，只有家人来探望过我。

而且家人也是三天才来一次。你们能不能每天都来啊？

后来，父母和妹妹还养成了探病前顺便在外面就餐的习惯。每次他们向我报告说这两天吃了寿司或烤肉的时候，我都会产生掰断妹妹小拇指的冲动。

"哥哥能那么快痊愈真是太好了，一定是因为石膏的效果吧。看来跌打损伤还是石膏最有效了！"

"笨蛋，我用的是软膏！而且我不是跌打损伤，是骨折！"

"哥哥又说些莫名其妙的话。"

"我早说过！奇怪的是你才对！"

小町还是没把我的话听进去，自作主张地换了话题。

"嗦呀撒！"

"什么？一世风○SEPIA吗？喂，这梗也太老了吧。"

（注：一世风靡SEPIA是上世纪80年代的男子团体，"嗦呀撒"是他们的一首歌的和声部分。）

"我说的是'说起来'，哥哥，你的听力真差。"

"都是你的翘舌音害的……"

"说起来，那次事故之后，小狗的主人有来家里送过礼哦。"

"这我还是第一次听说……"

"哥哥当时在睡觉嘛。那个人送来的点心很好吃呢。"

"我说，点心应该是送来给我吃的吧？为什么你会瞒着哥哥全部吃掉啊？"

我边说边回过头去，只见小町露出了仿佛在说"诶嘿嘿"的羞涩笑容。这家伙真让人火大……

"不过，你们是一个学校的，后来应该见过面了吧？那个

人说会在学校里向你道谢。"

我忍不住按下刹车。小町发出"啊呜"一声，整张脸撞在我的背上。

"怎么突然停车？"

"这种事你怎么不早点告诉我。你没问对方叫什么名字吗？"

"咦？好像是叫'送点心的人'吧？"

"又不是中元节，不要说的好像是'送火腿的人'一样。说吧，那个人叫什么？"

（注：丸大食品的火腿广告把中元节送火腿的人直接称为"送火腿的人"。）

"唔嗯……我忘了……啊，已经到校啦。小町先走喽！"

小町还没等我回答，就从自行车上蹿下，朝校门冲了过去。

"这个死丫头……"

我瞪着小町远去的背影，却发现她在进校舍前，回头对我敬了个礼。

"我去上课啦！哥哥，谢谢你！"

看着她边笑边挥手的样子，我才觉得妹妹还算可爱。我冲小町挥了挥手，她看到之后补上一句："要小心汽车哦！"

我无奈地轻轻叹气，将自行车调了个头，朝自己的学校骑去。

原来那只狗的主人和我在同一所高中。

我并不是想和她见面，只是有点感兴趣罢了。

不过，入学已经超过一年，对方还没出现，那就说明她没那个意思了吧……算了，这也是正常的。我是为了救狗而骨折，她能上门道谢算是很有礼数了。

我的视线突然落在车筐里，那个黑色的书包不是我的。

"笨蛋。"

我再次调头飞驰，没多久就看到小町眼泪汪汪地跑了过来。

×　　　　×　　　　×

体育课每个月都会变更运动项目。

我们学校的体育课是三个班级联合上课，男生共有六十人，分别参与两个项目。

前段时间训练的是排球和田径，这个月开始变为网球和足球。

我和材木座都是比起团队合作，更加注重个人表现的进攻型选手，如果在体育课上选了足球，说不定会给队友添麻烦，所以我们都选择了网球。我已经因为左脚的旧伤放弃了足球——虽说我根本没踢过足球。

不过，今年想要报名打网球的学生尤其多，所以在波澜壮阔的猜拳大赛之后，我成功地留在了网球组，而败北的材木座只好被分去足球组。

"哼，八幡，无法向你展示我的'魔球'实乃憾事。没有你在，我该和谁练习传球呢?"

开始还装模作样的材木座说完这句话，便哭丧着脸向我投来求救的眼神。他的演技给我留下了深刻的印象。

我还想问你呢。

网球课开始了。

随意地做了几下热身运动，体育老师厚木就为我们讲解了整套动作。

"好，那你们就试着打打吧。分成两人一组散开。"

厚木的话音刚落，大家都三五成群地移动到球场的两边。

为什么他们的反应都那么快啊？不用看周围就能找到搭档，你们难道都是盲传球的高手？

我的孤独雷达敏感地产生了反应，提醒我落单的可能性很高。

不过不用担心。我为这个时刻的到来，早就做好了准备。

"老师，我身体不舒服，可以对着墙打吗？我不想给其他人添麻烦。"

说完之后，我没等老师回答，就干脆地开始对着墙壁练习。或许是因为错过了开口回答的时机吧，厚木老师并没有说什么。

实在太完美了……

身体不舒服加不想添麻烦的双重借口不仅能发挥出双倍效果，关键是还能自然地表达出想上课的意愿。

这就是我在体育课多年的孤独生涯中，总结出来的"找搭档"终极解决大法。下次把这个方法也教给材木座吧，他一定会高兴得泪流满面。

将弹回的网球打回去的动作不断重复，时间也静静流淌。

周围的男生们吵吵闹闹，打得不亦乐乎。

"哇啊！哦哦！刚才那一球好棒！超强的啊！"

"很强！不可能接得住嘛！力量好大！"

大家都乐在其中地练习着对打。

我一面想"吵死了，去死吧"，一面回过头去。只见叶山出现在人群之中。

叶山的搭档——不对，他们是四个人成了一组。一个是在班里就跟着他的金发男，但他后面那两个人是谁啊？我从来都没见过，所以应该是 C 班或 I 班的人吧。不管怎么样，只有那几个人身上散发出耀眼的光芒，视觉效果极其华丽。

漏接叶山一球的金发男忽然"唔哦"一声怪叫起来，大家都疑惑不解地转头看向那边。

"不是吧，叶山刚才那球真的好夸张，球路变了吧？那是弧线球吧？"

"没有啦，我只是偶然打了一个削球而已。抱歉，是我失误了。"

叶山举起一只手表示歉意，却被那个情绪高涨的金发男大吼大叫地盖住了说话声。

"真的假的！削球不就是'魔球'吗！没天理啊。叶山你好厉害！"

"是吗？"

叶山配合对方愉快地笑了起来。在叶山他们旁边打球的二人组搭讪说。

"叶山同学，你的网球打得很好嘛。刚才那个就是削球？你也教教我吧。"

一位长相老实的茶发男边说边向叶山走去。我们应该是一个班的，但我不知道他的名字。不过既然我不知道，也侧面说明了他是个不起眼的小角色。

叶山组立刻变身六人小团体，成为目前体育课上势力最强的在野党。

总之，网球课已成为了叶山统治的王国，到处都漂着一股只有叶山小团体才配上体育课的氛围。叶山等人玩得热闹，其他人全都缄口不语。我坚决反对这种打击言论自由的行为。

叶山小团体很吵，但叶山本人并未多嘴，而是他周围的人在闹腾。我就直说吧，是那个跳梁小丑的金发男吵得要死。

"削球!"

看吧，果然很吵。

金发男打出的球没有变成削球，还飞到了离叶山很远的场地角落，没有太阳光又阴暗潮湿的地方。换句话说，就是我所在的位置。

"啊，不好意思，麻烦你……呃……比？比企苦同学？比企苦同学，能不能帮忙捡下球？"

谁是比企苦同学啊？

我懒得纠正他，捡起滚向自己的球扔了回去。

"谢啦!"

叶山满面笑容地向我挥了挥手。

我也用点头回应了他。

我为什么要跟他打招呼？

看来是我的本能做出了叶山在我之上的判断。我真的有够卑微，卑微到了只有在卑微这点上不会输给任何人。

我黯然神伤地对着墙击球。

青春往往与墙为伴。

说起来，为什么贫乳会被比作"墙壁怪"呢？

有种说法是，墙壁怪是狸猫变化而成的妖怪，墙壁本身是摊开狸猫的阴囊变成的。这到底是什么墙壁啊，岂不是比想象中软得多？不过，这也可以反过来证明，被比作墙壁怪的贫乳其实也是软的。Q.E.D.证明完毕……我是笨蛋吗？

（注："Q.E.D.证明完毕"出自漫画《Q.E.D.证明终了》。）

不过，叶山肯定不会得出这样的结论。只有像我这样处在极端愤怒的情绪中，才有可能提出奇迹般的假说。

算了，今天的事就算扯平了吧。

×　　　×　　　×

现在是午休时间，我正在老地方吃午饭。

我的专用座位在特别大楼一层的保健室旁，小卖部的斜后方。从这个位置，正好可以一览网球场的风景。

我大口大口地咀嚼着从小卖部买来的热狗面包、金枪鱼饭团和炒面面包。

真安逸啊。

像鼓点般有节奏的砰砰声让我困意渐生。

一位女子网球社的社员利用午休时间在练习球技。她对着墙壁不断挥拍，再熟练地追着弹回的球，把球打回去。

欣赏着那个女生的练习，我总算吃完了午饭。午休也快结束了吧。我吮吸着盒装柠檬茶，一阵海风轻轻拂来。

风向变了。

尽管也跟当天的天气有关，不过这所临海高中的风会在中午改变风向。上午是从大海吹向陆地的海风，到了下午就会重返故土般的从陆地吹回大海。

我并不讨厌独自一人享受海风拂面的时光。

"咦？这不是阿企吗？"

熟悉的声音乘风而来。我转头一看，只见由比滨按着差点被风掀起的短裙站在我面前。

"你怎么会在这里？"

"我平时都在这里吃饭啊。"

"咦，是吗？为什么？在教室吃不就好了吗？"

"……"

由比滨一副无法理解的样子惊讶地问。我沉默不语。要是能在教室吃，我还跑来这里干什么？这女人真不识相。

还是改变一下话题吧。

"别说这个了。你怎么会在这里?"

"对了对了! 其实我是和小雪猜拳输了,来做惩罚游戏的。"

"惩罚的内容就是跟我说话吗……"

好过分啊。我还是去死好了。

"不,不是不是! 只是输了的人要来买果汁而已!"

由比滨慌忙挥手否定。搞什么嘛,太好了,我差点就去死了呢。

看到我抚着胸口松了口气,由比滨也坐到我旁边。

"小雪刚开始还不怎么情愿地说'自己的食物要靠自己的努力获得。通过那种行为满足渺小的征服欲,有什么好开心的?'"

由比滨不知为何模仿起雪之下的口气,可惜没有半点相似。

"是吗? 很有那家伙的风格呢。"

"嗯,不过在我说了'小雪没有赢我的自信吗?'之后,她就同意了。"

"很有那家伙的风格。"

那女人平时都很冷静,可遇到比赛就会变得争强好胜,此前她也接受了平冢老师的挑衅。

"小雪获胜的时候,还默默举了一下剪刀手……真的好可爱……"

由比滨心满意足地舒了口气。

"我第一次觉得惩罚游戏也能玩得这么开心。"

"你以前也玩过?"

听到我这样问,由比滨点了点头。

"嗯,玩过。"

听她这么说我忽然想起，每天午休时间快结束的时候，都有一群人在教室的角落里乱哄哄地玩猜拳……

"哈，原来是小圈子的自娱自乐啊。"

"你那是什么反应？听起来很刺耳。你不喜欢小圈子吗？"

"小圈子自娱自乐自欺欺人当然讨厌啊，但我喜欢看小圈子自相残杀，谁让我不属于任何圈子呢！"

"不光理由可悲，你的心理也好阴暗！"

要你管啊。

由比滨按着被风吹起的头发笑了。她的表情和在教室里与三浦等人在一起时有些不同。

嗯，原来如此。或许是因为她脸上的妆没有以前那么浓，变得更加自然了。又或者她早就有所改变，只是我不会盯着女生的脸猛看，所以没有注意到。

总之，这就是她已经改变的证明，尽管只是微不足道的变化。

近乎素颜的由比滨一笑，眼睛就会变成一弯月牙，让她那张娃娃脸显得更加稚气。

"可是阿企也有在小圈子自娱自乐啊。你们在社团活动室聊得那么开心，我……我有时会觉得自己根本融入不进去。"

由比滨边说，边抱起膝盖垂下脸，然后又像是在偷看我似的微微扬起视线。

"我也想和你多聊几句……我，我没有别的意思哦！当、当然也包括小雪！你应该明白吧！"

"放心。我不会对你这种人产生误会的。"

"你这是什么意思？"

由比滨猛地抬起头来，似乎一肚子的火气。我举手拦住眼看要动手打人的她说道：

151

"总之，加入雪之下的社团要另当别论。那是不可抗力。"

"什么意思？"

"嗯？哦，不可抗力的意思就是'凭人类的力量无法反抗的力量或事态'。很抱歉，我用了一个比较难懂的词。"

"不是啦！我不是不懂你的话是什么意思！话说你也太小瞧我了！我好歹也是参加了入学考试，才进入总武高中的！"

由比滨的手刀快如闪电地劈中了我的咽喉。喉结遭到直击，害得我差点噎住。由比滨眺望着远方，语气沉重地问：

"喂，说到入学考试，你还记得开学典礼那天的事吗？"

"咳咳……啊？哦……我那天遇到交通事故了。"

"事故……"

"是啊。开学第一天，我骑着自行车去上学，却碰到一个笨蛋不小心松开了狗绳。看到那只小狗快被车压到，我就挺身而出保护了它。那叫一个英姿飒爽，帅气逼人啊。"

我好像说得有点添油加醋，但反正这件事没人知道，夸张点也不要紧。最重要的是没有人知道就代表着我得不到表扬，所以只能靠自己表现啦。

听到这段话，由比滨面色一沉。

"笨、笨蛋……阿、阿企记得对方的样子吗？"

"不记得，我当时疼得哪有功夫去看啊。但既然没记住，说明她也不怎么起眼吧。"

"不起眼……当、当时我确实没化妆……头发也没染，还随便穿了件睡衣……啊，不过睡衣的图案是小熊，可能显得比较幼稚吧。"

由比滨的声音很小，我根本听不清她在说什么。只见她叽叽咕咕地低下头，难道是肚子疼？

"怎么了？"

"没什么……总之！阿企已经不记得那个女孩子了吧！"

"对啊，我刚才不是说过了吗？咦？我说过那个人是女生？"

"啊？说、说了啊！还说了好几遍呢！你说了半天就是在讲'女孩子'这三个字！"

"在你心中我是有多么变态?"

我抱怨了一句，由比滨却傻笑着蒙混过去。她笑着看向网球场，于是我也顺着她的视线转过头。

刚才在练习的网球社社员擦着汗朝这边走来。

"喂！小彩！"

由比滨冲她挥挥手，看来她们两个认识。

那个女生也注意到了由比滨，向这边快步走来。

"好啊，你在练习?"

"嗯。我们的社团实力很弱，只好中午加紧练习了……我一直在求校方中午让我使用网球场，最近才拿到了许可。由比滨同学和比企谷同学在这里做什么呢？"

"没做什么啊。"

由比滨边说边回过头来，像是在问我"对吧？"呃，我在这里吃饭，而你是要完成任务的吧？你是鸡啊，说忘就忘了。

（注：日本习语中用鸡比喻记忆力差的人。）

被称作小彩的女生回了句"这样啊"，甜甜地笑了起来。

"小彩，上课打网球，你中午还要自己练习，好辛苦哦！"

"不会。我是自己喜欢才练的。啊，对了，比企谷同学，你网球打得很好呢。"

出人意料的搭讪使我陷入了沉默。这我还是第一次听说。另外你是谁啊？为什么会知道我的名字？

我还有几件事想问，由比滨却抢先一步感叹道：

"真的吗?"

"嗯,击球的姿势很标准。"

"哎呀,你这么说我会不好意思的啦。哈哈哈……喂,她是谁?"

说到最后我压低音量,只让由比滨一个人听到,但由比滨的特长就是让别人的心血白费。

"啊?你们不是一个班的吗?而且体育课也是一起上的呀!为什么你会不认识小彩?真不敢相信!"

"你是白痴啊,我当然记得了!刚才只是不小心忘记而已!还有,体育课男女生是分开上的吧!"

居然枉费了我替对方考虑的心情……这样的话,我不知道这个女生叫什么的尴尬事实不就彻底曝光了吗?人家要是不高兴怎么办?

想到这里我扭头看去,只见小彩的眼眶变得湿润起来,那双星星眼的杀伤力非同一般啊。用狗来比喻就是吉娃娃,用猫来举例就是短腿猫,看起来既可爱又可怜。

"哈,哈哈哈。你果然不记得我的名字……我是与你同班的户冢彩加。"

"呃,抱歉。换班才没多久,所以就……"

"我一年级也和你同班……呵呵,谁让我没有存在感呢……"

"不不不,没那种事啦。对了!这是因为我不怎么跟班上的女生来往,以至于不知道你的全名。"

"你快给我记住!"

由比滨敲了一下我的头。看到她的举动,户冢有些哀怨地喃喃道:

"你和由比滨同学的关系就很好呢……"

"咦,咦咦?哪、哪里好了!我对他只有杀意!像是杀了

阿企再自杀的感觉!"

"没错没错……不对,这也太恐怖了吧!你也太恶毒了吧!爱情走到殉情的地步,未免过于沉重了!"

"啥?你、你是白痴啊!我那么说又不是那个意思!"

"你们真的关系很好呢……"

户冢嘟哝完后,又转向我说:

"其实我是男生……我看起来有那么柔弱吗?"

"咦?"

我的动作和思考都停止了。然后,我猛地转头看向由比滨,用目光问她:"不是吧?"但由比滨点了好几下头,或许是因为刚才的怒气还没消,她的脸依然泛着红潮。

咦?真的啊?你骗人,这是开玩笑的吧?

注意到我满腹狐疑的眼神,户冢满脸通红地低下头,只有视线微微扬起看着我。

他的手缓缓地伸向短裤,动作看起来异常娇艳。

"我可以证明给你看。"

我的心里一阵动摇。

右耳响起了恶魔八幡的低语声:"有什么不行的?让他证明给你看呗!说不定运气好就中大奖了呢?"嗯,有道理,这种机会可不常见。"等等!"哦哦,天使也出现了。"反正都要脱,干脆让他把上半身也脱了吧,怎么样?"怎么样个头啦?你不是天使吗?

我最后还是决定相信自己的理性。

没错,这种性别未知的角色就是因为性别未知才会显得格外闪耀。通过理性思考得出的结论迫使我做出了冷静的判断。

"总之,是我不好。虽然起因是跟你不熟,但还是给你留下了讨厌的回忆，抱歉。”

我刚刚说完，户冢就摇头甩去了噙在眼中的泪水，微微一笑。

“没关系，我不介意。”

“话说回来，户冢，你怎么会知道我的名字？”

“咦？啊，嗯。因为比企谷同学很显眼啊。”

听到户冢这么说，由比滨转过头来盯着我。

“咦？他很不起眼诶。我觉得如果不是有特殊原因，应该不会认识他。”

“你是笨蛋啊？我可是超显眼的，就像绮罗星那样显眼！”

“哪里像了？”

由比滨一脸认真地反问。

“一、一个人待在教室的角落里，反而会很显眼吧。”

“啊，这倒也……呃，不对，抱歉。”

由比滨慌忙移开视线，她那种态度更加伤人。

户冢看到现场的氛围有些沉重，连忙来打圆场。

“话说回来，比企谷同学的网球打得很好呢。你该不会是专门练过吧？”

“没有，只在小学时玩过马里奥网球。我从来没有在现实中玩过。”

“就、就是那个聚会游戏吧。我也玩过，双打很有趣呢！”

“我只玩过单人模式。”

“咦？啊，对不起。”

“怎么回事？你是我的心灵地雷处理班成员吗？难道你的工作就是专门挖我心里的伤疤？”

“阿企的地雷也太多了吧！”

看着我和由比滨斗嘴，户冢开心地笑了起来。

157

这时，午休结束的钟声悄然响起。

"回去吧。"

户冢说完，由比滨也跟着迈出步伐。

看到这幕，我不禁有种不可思议的感觉。

对啊。我们是同班同学，所以一起回去也是正常的。我不禁感慨万分。

"阿企？你在干什么呀？"

由比滨讶异地回过头来，户冢也停下脚步看向这边。

我没能说出原本想问的问题"我可以跟你们一起走吗？"

所以，我换了另一个问题。

"你不用买饮料了吗？"

"什么？啊！"

　　　　×　　　　×　　　　×

几天后，又到了体育课时间。

经过一个人反复打墙的练习，我成为了壁球大师，现在已经能站在原地跟墙壁玩对打了。

明天的体育课要开始比赛。换句话说，今天是最后一次练习对打。

毕竟是最后一次了，我正想一口气打个痛快，右肩忽然被人戳了一下。

谁啊，背后灵吗？从来都没有人搭讪过我，这该不会是灵异现象吧？

如此想到的我回过头，右边的脸颊也被指尖轻轻戳中。

"哈哈，中计了。"

户冢彩加露出了可爱的笑容。

158

咦，不是吧！我这是什么心情？心脏狂跳不已啊。如果他不是男人，我说不定已经表白并被甩了。咦？原来我注定被甩哦。

只要看过户冢穿制服的样子，就会明白他是个男生，但体操服这种男女通用的打扮会让人有瞬间的迷茫。如果他穿上黑色过膝袜而不是短袜，别人绝对分不清楚。

他的腰和四肢都很纤细，皮肤也白得近乎透明。

虽然没有胸部，但雪之下也跟他差不多。

哇，怎么突然一股恶寒？

借此机会冷静下来的我微笑着对户冢说：

"怎么了？"

"嗯。平时总是跟我搭档的人今天请假了。所以……你不介意的话，可以陪我练习吗？"

不要用那种上挑的视线看我，简直可爱到犯规。不许泛红啊，我的脸。

"哦，好啊，反正我也是一个人。"

墙壁，对不起，我不能跟你对打了……

我向墙壁道歉后应下户冢，他放下心来似的松了口气，喃喃道："刚才好紧张啊。"

听他这么说，连我都开始紧张了。真是可爱到有点过分了。

由比滨有说过，有一部分女生因为户冢柔弱温和，就把他称为"王子"。原来如此，这个称呼的确很适合像女生一样可爱的美少年户冢。"王子"这个词还包含了"想要保护对方"的意思。

于是，我和户冢开始练习对打。

户冢不愧是网球社的成员，球技相当精湛。

他精确无误地接下我与墙壁对打练成的神准发球，将球打回我的面前。

这样重复了几遍后，户冢或许是觉得有些单调，便开口对我说：

"比企谷同学，你果然打得很好——"

因为我们之间有段距离，户冢的喊声听起来像是拖长了。

"毕竟我对着墙一阵猛练呢——我已经掌握打网球的窍门了——"

"你那样打是壁球——不算网球啦——"

我和户冢一面拖着声音大喊，一面继续对打。其他人都在不断失误，只有我们能打回合球。

对打突然结束。户冢一把抓住了弹起的球。

"稍微休息一下吧。"

"好啊。"

我们两个找地方坐下。不过，为什么你会坐在我旁边？这样不会很奇怪吗？通常男性朋友都是坐在对面或斜前方吧？这样距离不会太近吗？不会吗？

"其实……我有点事想找比企谷同学商量。"

户冢严肃地开口说道。

原来如此。为了密谈，他不得不靠近一点，所以他才坐在我旁边的吧？

"有事商量啊。"

"嗯，我们网球社不是很弱吗？人数也不够。这次的全国大赛结束后，三年级学生都会退出，我们的实力会变得更弱。一年级有不少人都是从高中才开始接触网球，所以有很多人还不习惯……我们的实力太弱，大家都没有动力，再加上人也少，谁都可以成为正式社员。"

"这样啊。"

户冢说得有道理。我相信弱小的社团都会遇上这样的问题。

弱小的社团招不到人，而人少的社团又不会出现争夺正式社员名额的现象。

即使请假或翘了社团活动，还是可以参加全国大赛。只要能参加比赛，就会有种自己在参与社团活动的感觉，即使赢不了也会心满意足。这样的人应该不少吧。

这样的人不可能变强，而社团不变强就无法招到人，于是就形成了恶性循环。

"所以……我想问问比企谷同学是否愿意加入网球社?"

"啊?"

为什么会变成这样……

我用眼神提问，而户冢抱膝坐着，将身体缩成一团，时不时地向我投来求救的目光。

"比企谷同学网球打得很棒，我相信你还有进步的空间，这样可以对大家造成刺激。另外……有比企谷同学在，我也能更加努力。那、那个! 我、我没有什么奇怪的意思! 只、只是我也想提高自己的球技……"

"你柔弱一点也没关系，我会保护你的。"

"咦?"

"啊，抱歉。说错了。"

户冢实在太可爱，害得我搞错了该说的话。谁让户冢那么讨人喜欢呢? 我差点就二话不说地加入他的社团了，就像迅速举手争夺中午学校伙食多出来的布丁一样。

但是，无论户冢有多可爱，我都不能答应他。

"对不起。我办不到。"

我很了解自己的性格。

我不知道每天去参加社团活动有什么意义，也不理解一大早做运动的好处，只有大叔大婶们才会在公园里打太极拳。我的座右铭是可罗风格的"无法坚持是也"，所以迟早会退出社团。我第一次打工也是才干了三天就辞掉。

（注：可罗是在藤子不二雄的漫画《奇天烈大百科》中登场的武士机器人。）

我加入网球社，只会让户冢失望而已。

"是吗?"户冢非常遗憾地说。

我搜肠刮肚地寻找安慰他的话：

"不过，我会帮你想办法的。"

虽说我帮不上什么忙就是了。

"谢谢。找比企谷同学聊一聊后，我也轻松一些了。"

户冢笑着说。尽管只是一时的安慰，但只要能让户冢轻松点，那也没什么不好。

×　　　×　　　×

"不可能。"

雪之下一开口便这样说道。

"凭什么，你……"

"不可能就是不可能。"

她更加冷漠地拒绝。

事情起源于户冢有事相求，而我又找雪之下商量了一下。

我本以为进展顺利的话，自己就可以名正言顺地退出侍奉社，假装投身网球社，在里面混段时间后就悄悄退出，但这条路被雪之下死死地堵住了。

"可是，我觉得户冢让我入社的想法没有错啊。只要威胁到网球社的人就行了，作为一名新人，为其他社员注入一剂强心针，你不觉得这样他们就会有所改变吗？"

"你能融入集体活动吗？对方怎么可能会接纳你这样的人？"

"唔……"

的确没可能。我不仅会因此而退社，说不定还会看那些享受社团活动的家伙不顺眼，一不小心用球拍殴打他们一顿。

雪之下轻轻叹气，似笑非笑地说：

"说到底你还是不懂集体心理，谁让你是孤独大师呢。"

"这话轮不到你来说。"

雪之下彻底无视了我的话，继续刚才的话题。

"有了你这个敌人，他们的确有可能一致对外。但是，即使他们努力也是为了排挤你，并不是为了提高自己。所以，这算不上根本的解决办法——根据我的个人经验。"

"原来如此……咦，个人经验？"

"是啊。我初中是从国外回到这边上学的，所以当然是以转学生的身份进入学校。当时那个班的女生——不，是全校的女生都跃跃欲试地想要除掉我，却没有一个人为了打败我而努力提高自己……那群低能……"

嘴里念念有词的雪之下背后腾起一团黑色的火焰。

糟糕，我好像踩到她的地雷了。

"这、这个嘛，也是啦。像你这么可爱的女生转进班里，也难怪会发生那种事了。"

"是、是啊，你说得对。与她们相比，我的容貌无人能敌，精神上也没有软弱到受欺负就低声下气，所以从某种意义上而言，这也是理所当然的结果。不过，山下同学和岛村同学也还

算可爱啦，在男生中也有人气，但她们值得一提的也只有外貌了，如果要比成绩、运动、艺术，还有礼仪规范和精神境界，她们都比我差得远。就是因为怎么折腾都赢不了我，她们才会把精力都放在想办法扯我后腿上。"

雪之下语塞了那么一瞬，又立刻恢复成平时的样子，滔滔不绝地说出一大堆赞美自己的话。别说是口若悬河了，那根本就是连尼亚加拉大瀑布都甘拜下风的惊人气势。亏她能不打绊子说完，真让人佩服啊佩服。

莫非这是她掩饰害羞的方式？没想到她也有可爱之处嘛。

因为一口气讲了一长串，雪之下上气不接下气，脸似乎也有些泛红。

"能不能请你不要说奇怪的话？吓死人了。"

"嗯，放心吧。你果然一点也不可爱。"

不如说比起我认识的女生，户冢才是最可爱的。这是怎么回事？

对了，户冢的事还没谈完。

"为了户冢，有没有什么办法能让网球社变强？"

听到我这么说，雪之下瞪圆了眼瞧着我。

"真少见……你也会关心别人啊？"

"没有啦。还是第一次有人找我商量烦恼，所以一不留神就上心了……"

被人依赖总归是件令人高兴的事，再加上户冢那么可爱，我就忍不住……我的嘴角不自觉地微微上扬。雪之下像是要把我比下去似的说：

"经常有人来找我商量恋爱的烦恼。"

雪之下骄傲地挺起胸，但她的表情很快就变得阴沉起来。

"可是，女生咨询恋爱的目的基本上都是牵制对方。"

"啊？什么意思？"

"只要说出自己喜欢的人，周围人就会有所顾忌吧？这跟宣扬所有权是一回事。明知道那个人有人喜欢还出手，就会被当成强盗排挤出女生的小圈子，连对方主动表白也会被排挤。她们为什么要把这些乌烟瘴气的内幕讲给我听呢……"

雪之下背后又腾起了黑色的火焰。听说是女生的恋爱咨询，我原本很期待酸酸甜甜的青涩感，结果却只感到了苦涩。

她怎么总是破坏纯真少年的梦想？这是她的业余爱好？

雪之下像是想要挣脱过去的讨厌回忆，带着几分自嘲地笑了。

"简而言之，不是只要倾听对方所有的烦恼再给予帮助就能解决问题。不是有句古话叫'狮子也会把自己的孩子推入深谷而杀之'吗？"

"不会真的杀掉吧？"

确切地说应该是"狮子对付自己的孩子也会拼尽全力"。

"你会怎么做？"

"我？"

雪之下一双大眼眨了好几下，又嘀咕着"我吗……"陷入沉思。

"我会让他们所有人都跑步至死、挥拍至死、练习至死吧。"

她带着点笑意的表情实在有够恐怖。

我被吓得倒退几步，社团活动室的门突然"喀啦"被拉开了。

"呀啰!"

与雪之下形成了鲜明对照，很傻很天真的打招呼声传入耳中。

由比滨还是像往常一样，脸上挂着傻瓜式的微笑，从她的表情中看不出半点烦恼。

但她背后那个人的表情却疲惫悲痛。

视线毫无自信地落在地上，攥住由比滨外套衣摆的手指晶莹洁白。在阳光的照射下，那个梦幻般的存在仿佛随时都会像泡沫般消失。

"啊……比企谷同学！"

雪白的肌肤瞬间恢复了几分血色，那个人对我绽开笑容。看到那副表情我才反应过来他是谁。刚才他的脸色为何那么消沉？

"是户冢啊……"

户冢小步走向我，又紧紧地握住我的袖口。喂喂，这招可是犯规啊……千万别忘了他是男人！

"比企谷同学，你在这里做什么？"

"呃，这就是我参加的社团啊……你怎么会在这里？"

"今天我可是带委托人来了哦，嘻嘻。"

由比滨得意洋洋地说。

我又没问你，我想听户冢可爱的小嘴说出答案……

"哎呀，该怎么说呢，就是那个啦！我不也是侍奉社的一员吗？所以，我就想做点力所能及的事来帮忙。正好看到小彩在发愁，我就把他带过来啦。"

"由比滨同学。"

"小雪，你不必向我道谢。作为侍奉社的一员，这是我应该做的。"

"由比滨同学，你不是这里的社员……"

"原来我不是啊！"

不是吗？吓我一跳……我也以为由比滨已经铁板钉钉地成

为了社员。

"嗯。你没有交过入社申请书，也没有得到顾问的承认，所以不算是这里的社员。"

雪之下对规则的坚持还真是严格。

"我会写的！入社申请书这种东西，给多少张我就写多少张！让我加入你们吧！"

由比滨带着祈求般的表情拿出一张活页纸，用圆滚滚的字体写下"入社申请书"这几个字的平假名……

这么简单的内容拜托你写汉字好吗？

"那么，你就是户冢彩加同学吧？你找我有什么事呢？"

雪之下没有理会奋笔疾书地写起入社申请书的由比滨，将视线移到了户冢的身上。在她冷冰冰的注视下，户冢不由得哆嗦起来。

"那、那个……你、你可以、让我的网球、打得、更好吗？"

户冢刚开始还看着雪之下，可说到最后就转过头来看我了。比我矮上一截的户冢仰视着我，偷看我的反应。

呃，你这样看我只会让我为难……我会心跳加速的，别看了。

这时，雪之下代替我做出了回答，但她肯定不是帮我解围。

"我不知道由比滨同学是怎么对你说明的，不过侍奉社并不是有求必应的地方。我们只能督促你自立，能不能变强就要看你自己了。"

"这样啊……"

户冢失望地垂下肩膀，一定是由比滨大言不惭地乱吹一气吧。那女人此刻正嘀咕着"印章印章"，在书包里摸索着。我瞪了她一眼，她才反应过来抬起头。

"咦？怎么了？"

"这还用问吗？就因为你不负责任的发言，打破了一位少年渺茫的希望。"

雪之下毫不留情地批评了由比滨，但由比滨只是歪起脑袋。

"嗯？嗯嗯？可是，小雪和阿企应该有办法吧？"

由比滨若无其事地说。这句话在不同的人耳中会有不同的效果，有人就会理解成瞧不起对方的"难道你办不到吗？"

不幸的是，这里就有一位这样的人物。

"哼，你的口才变好了呢，由比滨同学。先不论那个男生的事，你竟敢说出挑衅我的发言。"

雪之下咧嘴一笑。啊，奇怪的开关又被打开了……雪之下雪乃是只要面对正面的挑衅，就会全力击溃对方的类型。即使那根本不是挑衅，她也会击溃对方。连像甘地一样"非暴力"的我，也会被她毫不留情地灭掉。

"好吧。户冢同学，你的委托我接下了，只要帮助你提高网球技术就可以了吧？"

"是，是的，没错。我、我想只要我能打好，大家也会跟我一起努力。"

也许是被雪之下瞪大的双眼吓到，户冢躲在我身后答道。他从我的肩头探出脑袋，打量着雪之下的表情，脸上满是畏惧与不安。看到他像白兔般瑟瑟发抖的样子，我不禁想让他穿上兔女郎的制服。

不过，像雪之下这样的冰雪女王愿意提供帮助，正常人都会感到害怕，感觉她就算说出"我可以帮你变强，但你要付出的代价是生命"也不足为奇。你是魔女吗？

为了抹去户冢的不安，我后退一步挡在他的身前。

刚来到户冢身边，我就闻到一股混合着洗发水和止汗剂的味道，像女高中生的体味般难以言喻的香气。他用的是哪款洗发水？

"好吧，你愿意帮忙是很好，但你打算怎么做？"

"刚才不是说过了吗？你这么快就忘了？如果对记忆力没有自信的话，我劝你养成记笔记的习惯。"

"喂，你刚才是认真的啊……"

我回想起练习至死那番话，雪之下却微笑起来，仿佛在说"你猜对了"。你的笑容真的好恐怖……

户冢洁白的肌肤有些发青，身体微微颤抖。

"我会不会死……"

"放心吧。我会保护你的。"

我这样说完，拍了拍他的肩膀。户冢马上变得满脸通红，以炽热的眼神望着我。

"比企谷同学……你是认真的吗？"

"呃，抱歉。我只是想说说看而已。"

在"男人都想说次的台词"中，这句话排名前三。顺便一提，第一名是"这里交给我了，你们先走"。我又不可能赢过雪之下，所以没办法保护任何人。不过呢，要是我不随便说点什么来活跃氛围，就无法消除户冢的不安了吧。

户冢轻轻叹了口气，撅起嘴巴。

"比企谷同学有时真让人搞不懂……不过……"

"户冢同学放学后还有网球社的练习吧？那我们就在明天的午休时间特训，集合地点定在操场吧。"

雪之下打断了户冢的话，干脆利落地决定了明天的行程。

"没问题！"

总算写好入社申请书的由比滨递出那张纸答道，户冢也点

了点头，如此看来——

"我……也得去?"

"当然了。反正你午休时间也没有别的安排吧?"

呃……您所言极是。

×　　　×　　　×

第二天的午休时间，地狱特训计划启动。

为什么我也得跟着去呢?

说到底，侍奉社这个所谓的团体，不就是把弱者聚在一起，然后在这个盆景中白日做梦吗? 募集些没用的人，为他们提供舒适自在的空间，不就是这么回事吗?

那和我厌恶的"青春"有什么区别?

说不定平冢老师真的是把这里当成了疗养院，想为我们除掉病灶。

但如果这样就能痊愈，从一开始就不会得病。

雪之下不也一样吗? 虽然我不知道她有什么心病，但也不可能轻易治好吧。

如果户冢是女生，我的伤痛说不定还能治愈。如果我和户冢通过网球发展成恋爱喜剧，或许还会有些不同。

在我的认知范围内，最可爱的人就是户冢彩加。他为人直率，更重要的是待我温柔。倘若能花点时间培育我们的爱苗，我在做人方面肯定也能有所成长。

但是，户冢居然是个男生。老天真是大笨蛋!

我品味着淡淡的绝望，却还是换上了运动服，向网球场走去。我决定把希望赌在户冢其实是女生这个微乎其微的可能性上。

我们年级的运动服是莫名其妙的荧光蓝色，看上去异常刺眼。由于俗气的配色，运动服在学生中广受恶评，除了上体育课和参加社团活动，没有人会把它自觉穿在身上。

大家都穿着制服，只有我是显眼的运动服。

正因如此，我被某个麻烦的家伙逮到了。

"哈……哈哈哈哈哈八幡！"

"不要把大笑声和我的名字连在一起……"

（注："八幡"的发音是Hachiman。）

放眼总武高中，能发出这种恶心笑声的人只有材木座一人。他抱臂而立，挡在我前行的路上。

"能在这里相遇还真是缘分呢。我正打算把新作的草稿送过去。来吧，睁大眼睛瞧瞧！"

"啊，抱歉。我现在有点忙。"

我从材木座身旁走过，轻描淡写地忽略了他递出的一沓纸，但我的肩膀马上就被材木座温柔地按住了。

"不要编出如此悲哀的谎言。你怎么可能会有事呢？"

"我才没有撒谎。还有，我可不想被你这么说。"

为什么大家都说同样的话啊？我看起来有那么闲吗……好吧，我确实很闲。

"哼，我明白的，八幡。你为了保全体面就撒下一个小谎，为了防止谎言被戳穿，又撒下另一个谎，然后不断往复，身陷可悲的欺骗无限螺旋。可是啊，这个螺旋的尽头是虚无。具体说来，人际交往便是虚无。现在你还有可能回头是岸……不必道谢，我也被你救过一次。这次轮到我来拯救你了！"

材木座说出了"男人都想说次的台词"第二名。他竖起大拇指耍帅的样子让人看了就生气。

"我今天真的有事……"

　　我强忍怒气，明知自己脸上的肌肉开始抽搐，却还是试图说服材木座。这时——

　　"比企谷同学！"

　　户冢很有精神地打了个招呼，向我的胳膊扑来。

　　"正好和你碰到，我们一起去吧？"

　　"哦，好……"

　　户冢把球拍挂在左肩上，然后，他的右手不知为何握住了我的左手。为啥啊？

　　"八、八幡……这、这位是……"

　　材木座一脸惊愕地交替看向我和户冢，然后表情逐渐变化，成了我似乎在哪里见过的样子。啊，我知道了，歌舞伎？材木座瞪大眼睛，像是要喊出"哟咿……嘭嘭嘭嘭"般得出结论。

　　"你、你这臭小子！竟敢背叛我！"

　　"这叫哪门子的背叛……"

　　"住口！半吊子帅男！美少年残次品！我看你总是落单才可怜，你居然得意忘形……"

　　"半吊子和残次品是多余的。"

　　落单是事实，所以我没有否定。

　　材木座像是恶鬼般念念有词，对我怒目而视。

　　"我绝对饶不了你……"

　　"喂，你冷静点啦，材木座。户冢不是女人，他是男人……大概吧。"

　　"开、开开、开什么玩笑——这么可爱怎么可能是男生！"

　　材木座用尖叫声回应了我毫无信心的解释。

　　"户冢是很可爱啦，但他的确是男生。"

　　"别这么说……可爱什么的……我会困扰的。"

172

户冢在我身旁满脸通红地别过脸去。

"这位是……比企谷同学的朋友吗?"

"不,该怎么说呢……"

"哼,你这种人不配做我的对手。"

材木座闹起了别扭。哇啊,这家伙好烦……

不过,我也不是不能理解材木座的心情。发现原以为是自己同类的人其实是另一个世界的人时,的确会感到一抹寂寥。

这种情况下应该说点什么来挽回我们的关系呢?很不巧,缺乏交往经验的我不懂。

但我也忽然有些悲伤。因为我本以为跟这家伙可能也有臭味相投的地方,总有一天可以笑着承认彼此。

可惜人生不如意十有八九。

不得不看人脸色、讨人欢喜、保持联络、迎合话题、花费这么多心思才能维持的友情,不能算真正的友情。如果说这种烦人的过程就叫青春,那我宁可不要。

在宽松放纵的小圈子里自娱自乐,只不过是自我满足罢了,这样等同于欺骗,是必须遭到唾弃的罪恶。

话说回来,吃醋的材木座真够麻烦的。

为了证明自己的正义,我决定走上孤独之路。

"户冢,走吧。"

我拉了一把户冢,但他只是支吾了两声,并没有迈出脚步。

"你是材木座同学吧?"

被搭话的材木座吓了一跳,却还是点了点头。

"既然你是比企谷同学的朋友,那也可以成为我的朋友吧,我会很高兴的。因为我没有几个男性朋友。"

话毕，户冢有些羞涩地微笑起来。

"呵，呵，哈哈哈哈！我和八幡的确是挚友。不，是兄弟。不不不，我是主人，他是仆人……好吧，既然你们都这么说了，我就答应你吧。做你的那、那个、男性朋友？不然做恋人也可以。"

"嗯，这个……应该不行。我们还是做朋友吧。"

"哦，这样……喂，八幡。他该不会是喜欢我吧？桃花运？我走桃花运了吗？"

材木座忽然凑到我身旁附耳问道。

材木座果然不是我的朋友。

刚和美少女成为朋友就翻脸如翻书的人，不可能是我的朋友。

"户冢，我们走。迟到的话，雪之下会发飙的。"

"唔，那可不行。快走吧。那位女王大人……真的很可怕。"

材木座说完，便跟在我和户冢的身后，看来材木座也成了我们的同伴。在别人眼里，我们排成一列前进的样子或许很像DQ（《勇者斗恶龙》）……不，与其说是DQ，倒不如说更像是桃铁的大穷神呢。

（注：大穷神是铁道养成游戏《桃太郎电铁》，简称"桃铁"中的反面角色。）

×　　　×　　　×

雪之下和由比滨已经来到了网球场。

雪之下还穿着制服，只有由比滨换上了运动服。

她们应该是在这里吃的午饭吧。看到我们的身影，两人迅速地收起了小小的便当盒。

"那我们开始吧。"

“请、请多指教。”

户冢对雪之下低头行了个礼。

“首先来提升一下户冢同学最缺乏的肌肉力量。肱二头肌、三角肌、胸肌、腹肌、腹外斜肌、背肌、大腿肌——为了综合锻炼这些肌肉，俯卧撑是最好的办法……总之，先试着练到快死的程度吧。”

“哇啊，小雪好聪明……咦？练到快死的程度？”

“是啊。肌肉受损后会自我修复，每次修复都能构建出比以前更强的肌肉纤维，这就是所谓的超回复。换言之，只要练到快死的程度，就能将力量提升一个境界了。”

“怎么可能，又不是赛亚人……”

“嗯，虽然不会立刻长出肌肉，但这种训练对于提升基础代谢率来说还是有意义的。”

“基础代谢率？”

由比滨歪起脑袋问道。这你都不知道是什么吗？雪之下也露出无奈的表情，但她知道与其责备由比滨，不如解释一遍比较快，所以做出了简洁的说明。

“简单地说就是让身体适应运动。基础代谢率上升了，卡路里的消耗也会容易许多。说白了就是提升能量转换的效率。”

听到这里，由比滨恍然大悟地点了点头，眼睛也变得熠熠生辉。

“卡路里的消耗会更容易啊……也就是能变瘦？”

“是啊。呼吸与消化也会消费卡路里，所以极端地说只要活着就能变瘦。”

雪之下的话使由比滨的眼睛闪亮起来，不知道为什么好像比户冢还有动力，而受到刺激的户冢也紧握拳头。

“总、总之，我来试试看！”

"那、那我也陪你！"

户冢和由比滨趴在地上，慢慢地做起俯卧撑。

"嗯……唔，呼，哈……"

"唔唔，咕……嗯啊，哈啊哈啊，嗯嗯！"

两人忍不住吐出拼命憋住的气息。他们的表情因痛苦而扭曲，额头上浮起薄薄一层汗水，脸颊也变得通红。凭户冢纤细的胳膊，或许有些难以负荷吧，时不时地向我投来求救的眼神。被他从下方缓缓地看过来，该怎么说呢……有种奇妙的感觉。

由比滨一弯手臂，体操服的领子下就会露出耀眼的肌肤。不行，我无法直视她了。

从刚才起我的心跳就迅速变快，说不定是患上了心律不齐症。

"八幡……这是为什么呢？我现在心情非常平和……"

"好巧啊，我也是。"

我偷瞄着趴在地上的两个人，对材木座嘿嘿一笑，背后却突然传来某人泼冷水的声音。

"你们也运动一下，排解排解烦恼吧？"

我回过头去，只见雪之下正以发自内心鄙视我的眼神看着这边。她居然说出"烦恼"这个词，原来她注意到了啊……

"唔，唔嗯。勤于训练是战士的守则之一。好吧，我也来试试看！"

"是，是啊。缺乏运动的后果很可怕呢，像是会得糖尿病啦、痛风啦——哦对了，还有肝硬化！"

我们也狂笑着开始做俯卧撑。于是，雪之下故意绕到我们的面前。

"你们这样看起来像是别出心裁的跪地求饶。"

雪之下说完便扑哧一笑。

你说什么，混蛋！就连心胸宽广的我都愤怒得快要觉醒了！她这是什么意思？不过，如果我真的觉醒，大概也只有"俯卧撑好萌"这个怪癖。

我们到底在做什么啊？

大家听说过"聚沙成塔"或"三个臭皮匠赛过诸葛亮"吧？意思就是几个人聚在一起，就可以变得更强大。

可是，我们这些无用之人聚起来也只是做些无用之事。

结果整个午休期间，我都在被迫做俯卧撑，半夜三更还因为肌肉酸疼而辗转反侧。

『户冢该不会是喜欢我吧？
桃花运？我走桃花了吗？』

『户冢，你柔弱一点也没关系。
我会保护你的……』

升学就业指导调查表

总武高级中学	2 年　F 班
注音	Totsuka　　Saika
姓名	户冢　彩加
	男 · 女
座位号	20

请写下你的座右铭。

贯彻初衷。

你在毕业相册上"将来的梦想"这栏写的什么?

护士。

为了将来,你在做怎样的努力?

我会努力让自己的行为举止像个男子汉。

老师的评语

请原谅老师看到护士这个词,就联想到你穿护士服的样子。另外,虽然你说想让行为举止像个男子汉,但我认为你只要顺其自然,坚持自我就可以了。

你应该做回你自己。请你永葆可爱。

户冢彩加
Saika Totsuka

材木座义辉
Yoshiteru Zaimokuza

生日

5 月 9 日

特长

网球

拼图

爱好

手工

假日生活

悠闲地泡澡

散步

生日

11 月 23 日

特长

剑道、执笔创作、聚精会神

爱好

读书（漫画、轻小说）

游戏（RPG、SLG、GAL）

看动画

上网

骑马

假日生活

写作

逛秋叶原

🐤 第七章
有时恋爱喜剧之神也会大发慈悲

　　日子一天天过去，我们的网球训练也进入了第二阶段。

　　说起来好听，其实就是结束了基础训练，总算开始用球和球拍练习了。

　　话虽如此，需要练习的人只有户冢。他在魔鬼教官雪之下的指导下，正拼命对着墙玩打砖块。

　　谁让我们无法跟得上网球社社员的节奏呢，只好各干各的打发时间。

　　雪之下在树荫下读书，时不时地突然想起对户冢发号施令。

　　由比滨刚开始还想和户冢一起练习，但很快就腻了。现在她正在雪之下身旁睡觉，看上去就好像是带出去散步却累得趴在公园饮水区的小狗。

　　至于材木座嘛，他正在专心致志地研究必杀魔球——啊，够了，不要再扔橡果了啦！还有，不要用球拍挖地上的土！

　　无用之人聚起来果然还是无用。

　　你问我吗？

　　我在球场一角傻傻地观察蚂蚁，感觉相当有趣。

　　哎呀，真的很有意思呢。

　　虽然我不知道这些忙个不停的小家伙们到底在想些什么，

181

第七章　有时恋爱喜剧之神也会大发慈悲

但它们都活在一片狭小的天地里。这样说吧，如果从东京商务区的摩天大楼俯瞰下方，可能也会有这种感觉。

身穿黑色西装的上班族来来往往的形象与勤劳的蚂蚁重合了。

迟早有一天，我也会像那些蚂蚁一样，变成从高层俯视的一个黑点吧。到时我会怀着怎样的心情生活呢？

我并不讨厌上班族，甚至还希望成为他们之中的一员。因为上班族生活有保障，继家庭妇男之后，排在我"将来想要从事的职业排行榜"第二名。第三名是消防车……为什么会是车啊？

当然了，我很清楚上班族也不只有好处。每当看到父亲脸上挂着对人生筋疲力尽的表情回到家中，我都会由衷地佩服他。即使不情愿也能坚持上班，只是这点就让我觉得了不起。

所以，我不由得从眼前的蚂蚁身上看到了父亲的影子，为他加油鼓劲。

加油，老爸！不要认输啊，老爸！别秃头啦，老爸！

我幻想着未来，同时也为自己头发的未来心生忧虑。

不知道是不是我的祈祷感动了上天，那只蚂蚁开始向自己应该回去的巢穴爬去，那里一定有它温暖的家吧。

太好了。

感动不已的我嘤嘤地拭去眼泪。

就在这个瞬间——

咻啪！

"老爸——"

蚂蚁随着球飞向远方，消失得无影无踪。

我火冒三丈地瞪向球飞来的方向。

"嗯，掀起烟尘迷惑对方，再趁机丢球……看来我的魔球绝技研究成功了。这就是丰饶的魔幻大地'岩砂闪波（Blassty Sandrock）'！"

材木座，是你吗……是你把老爸（蚂蚁）给……好吧，算了，反正只是一只蚂蚁而已。我轻轻地合起双掌，念了句"南无阿弥陀佛"。

材木座则沉浸在成功的喜悦之中，来回挥了几下后又把球拍扛在肩上，一副得到了经验值的样子。

算了，材木座也好，蚂蚁也好，全都无关紧要。

还是去看看户冢可爱的身影来消磨时间吧。

视线前方是不知何时已经起来的由比滨，她正在雪之下的指示下推着网球车东奔西走。

然后，她又把球一个个地丢出去，让户冢拼命地打回来。

"由比滨同学，往这边或那边之类难打的地方多丢几个球，不然就算不上练习了。"

与雪之下沉着冷静的声音正相反，户冢气喘吁吁地回击着落在底线或网前的球。

雪之下是认真的。她的性格也真的差到了极点。

不是啦，我是说她真的有在锻炼户冢啦。好可怕啊，不要往这边看……为什么她会知道我在想什么……

由比滨随便丢出的球高低就别提了，还完全没有准头，总是飞到让人意想不到的地方。户冢为了接球跑来跑去，但还是在接第二十个球的时候不小心摔倒了。

"哇，小彩，你没事吧？"

由比滨停下手，向网前跑去。户冢揉着擦伤的腿，眼眶湿润地微微一笑，表示自己没事。这家伙还真坚强。

"我没事，咱们继续吧。"

但是，听到他这句话，雪之下皱起了眉头。

"你还想继续?"

"嗯……大家都在陪我,我想再努力一会。"

"是吗?由比滨同学,那就拜托你了。"

说完,雪之下转身走进了校舍。一脸不安地目送她离开的户冢喃喃问道:

"我,我是不是说了什么惹她生气的话?"

"没有,那家伙平时就那样。她到现在都没有骂你愚蠢低能,说明她很有可能心情大好呢。"

"只有阿企会被那样骂吧?"

不,由比滨,你也经常被骂,只是你没有发现而已。

"她也许是对我失望了吧……打了这么久还是没有进步,俯卧撑也最多只能做五个……"

户冢沮丧地垂下肩膀。嗯,就雪之下的风格而言,也不是不可能的事啦。

不过——

"我不这么认为。小雪不会轻易抛弃有求于她的人。"

由比滨把玩着手里的球说道。

"嗯,是啊。既然她肯陪由比滨练习下厨,那就更不可能抛弃还有希望的户冢了。"

"你这话是什么意思!"

由比滨把刚才玩弄的球扔了过来。"砰"的一声,球正好砸在我的头上。喂,你的控球能力很强嘛,下次的新人选拔说不定会被选上哦。

我把在地上翻滚的球捡了起来,轻轻地扔给由比滨。

"她过一会儿就会回来。你继续练就好。"

"嗯!"

户冢精神饱满地应了一声,又回去练习了。

他没有说一句示弱的话，也没有怨言。

户冢真的很努力。

"好累啊！阿企，跟我换一换。"

倒是由比滨先叫苦了……

好吧，反正我闲着也是闲着。

我能做的事顶多就是观察蚂蚁。

而刚才那只蚂蚁也惨死在材木座手下，现在我正没事可做，闲得发慌。

"知道了。我来替你吧。"

"太好啦！啊，这个只要丢五下就会腻的，小心点哦。"

丢五下就腻，未免太快了吧。你是多没耐性啊。

我从由比滨手里接过球，原本笑容满面的由比滨忽然怪怪地绷起脸。

"啊，有人在打网球呢。快看！"

吵吵闹闹的声音从背后传来。我回头一看，以叶山和三浦为首的一群人正朝这边走来。他们从材木座身旁经过，又看到了我和由比滨。

"啊……是结衣他们……"

三浦身旁的女生小声说。

三浦瞥了一眼我和由比滨，就无视了我们，向户冢开口，看来材木座根本没被她放在眼里。

"喂，户冢，我们也能在这玩吗？"

"三浦同学，我不是在玩，是在……练习……"

"咦？什么？我听不清你在说什么。"

不知道是不是真的没有听清户冢小声的抗议，三浦的一句话使户冢沉默了。如果我被这样问，肯定也会闭上嘴巴，因为实在有够恐怖。

户冢鼓起最后一点勇气，再次开口说：

"我、我在练习……"

但是，在女王的眼中，这句话等于是在放屁。

"哦？但这里不是还有社外人员吗？那也就是说，不是只有男子网球社才能使用这块场地吧？"

"话、话是这么说……"

"那让我们用也没什么问题吧？对吧？"

"可是……"

说到这里，户冢为难地看向我。咦，我？

嗯，好吧，看来也只有我了。雪之下不知去了哪里，由比滨尴尬地别开脸，材木座可有可无……还是我来出马吧。

"啊，不好意思。球场是户冢借来的，其他人不能用。"

"哈？那又怎样？你们这些社外人员不是也在用吗？"

"呃，这个嘛……我们是来陪户冢练习的，算是业务委托或派遣人力吧。"

"啊？你莫名其妙地说什么？恶心死了。"

哇啊，这女人根本没打算认真听我讲话，所以我才讨厌这种无脑碧池。连语言都无法沟通，你还算是灵长类吗？我还不如去跟那边的狗交流呢。

"好啦好啦，别那么激动。"

叶山像个和事佬似的插了进来。

"你们想想看嘛，肯定还是大家一起玩更开心。这样不是挺好的吗？"

他的话让我怒火中烧。三浦为枪上膛，而叶山扣下了扳机。

那么，接下来就只剩下"射击"了。

"大家是指谁啊……是跟老妈死乞白赖地要东西时嚷嚷的'大家都有我没有'的那个大家吗……那些人都是谁啊……我

没有朋友，所以从来都没用过那个借口……"

"射击"与"忧郁"的双重射击！奇迹般的组合！

（注：日语中"射击"和"忧郁"的发音相同。）

听了这段话，就连叶山都慌乱起来。

"啊，不，我说这句话不是那个意思……对、对不起，如果你有烦恼的话，可以找我商量。"

他努力地安慰我。

叶山还真是个好人呢，我差点就泪流满面地说出"谢谢"了。

不过——

要是廉价的同情可以拯救我，我就不会养成这种性格了。就凭他这一句话就能解决烦恼，那烦恼也不叫烦恼了。

"叶山，你的温柔体贴总能哄人开心。我知道你性格好，又是足球社的王牌。不仅如此，你还相貌堂堂，应该很受女生欢迎吧。"

"怎、怎么突然这么说……"

我忽然说出的赞美之词让叶山不知所措。哼，你就偷着乐吧。

叶山，你是不会懂的。

为什么要表扬别人？当然是为了把对方捧上天，让他飘飘然，然后再从高处揍一拳，让他狠狠地摔下来！

这就是我发明的独创招式——赞美式杀人法。

"已经全身上下都是优点的你，为什么还要跟一无所有的我们争夺球场？作为一个活生生的人，你就不觉得丢脸吗？"

"没错！叶山某人！你的行为糟糕至极，简直有违人伦！这是侵略！我一定要复仇！"

材木座不知何时也加入进来，在一旁怪声怪气地吼着。

"你、你们两个凑在一起，卑微感和烦躁感也顿时翻倍……"

由比滨颇为无奈，而叶山挠了挠头，轻轻地叹了口气。

"嗯，这样啊……"

我的嘴角不禁挤出一抹邪恶的笑意。没错。叶山不喜欢让场面变僵，而现在占据这个"场面"的人，正是我、材木座和叶山。少数服从多数，叶山只好息事宁人。

"喂，我说隼人——"

一个无精打采的声音插了进来。

"你磨磨蹭蹭地在干吗？我想打网球啦。"

唉，那个白痴卷毛又出现了。她的脑细胞也是卷的吗？拜托你好好听别人讲话！就是你这种人会把油门和刹车搞错。

事实上，三浦还真的踩反了油门和刹车。

她这句话给了叶山思考的空间，他的大脑利用短暂的空当快速运转起来。

"嗯……啊，那么办吧。社外人员进行比赛，赢家从今往后都能在午休时间使用网球场。当然了，也要陪户冢练习。与强者练习对户冢更有帮助，而且大家都能享受打球的乐趣。"

这种毫无破绽的逻辑是从哪冒出来的？你是神童吗？

"网球比赛……那是什么呀？听起来超有趣的嘛。"

三浦的脸上浮现出火焰女王专属的狰狞笑容。

刹那间，他们的跟班全都沸腾起来。

伴随着比赛这个字眼的刺激造成的狂热与骚乱，我们来到了训练的第三阶段。

虽然说起来好听，但实际上就是赌上了网球场的比赛。

为什么会变成这样啊……

×　　　×　　　×

刚才我还半开玩笑地说什么狂热与骚乱，结果真的变成了现实。

现在，位于校园一角的网球场已是人声鼎沸。

我随便数了数，周围至少有两百多人。除了叶山那个小圈子的成员，还有不知道从哪里听到消息，就跑来凑热闹的人。

其中有一大半都是叶山的朋友，或是他的粉丝。成员以二年级学生为主，不过也有一年级学生，和一小部分三年级学生。

这是玩真的吗？叶山的声望说不定比某些政客还高呢。

"隼——人！耶！隼——人！耶！"

观众的叶山口号喊完后，又玩起了人浪，看上去就像是偶像的演唱会。不过，大家与其说是叶山真正的粉丝，不如说有一大半都是因为有趣才跟着起哄吧。对吧？我希望是。

不管怎么说吧，在旁人看来，他们的激情都让人背后发凉，几乎可以说是宗教信仰的一种。青春教真是太可怕了。

在一片混乱之中，叶山隼人仪表堂堂地大步走向球场的中央。被大群观众围观，他也没有丝毫胆怯，看来他早就习惯受到瞩目了。叶山周围不光是平时那些跟班，还聚集了其他班级的男生和女生。

我们完全被埋没在人群之中。从刚才起我的视线就左右飘移，即使闭上眼睛，还是会被吵得晕头转向。

叶山已经握起球拍，站在场地上了。他兴致盎然地等着看我方会派谁上场。

"喂，阿企，怎么办？"

"你问我我问谁……"

由比滨不安地问道。我瞥了一眼户冢，现在的他就像是被带到别人家的兔子。

他战战兢兢地朝我走来，走路姿势还有点内八字。哇，真

的好可爱。

看来这样想的人不只是我，看到户冢激发保护欲的动作，女生们也纷纷忘情地尖叫着"王子"和"小彩"。

不过，每当户冢听到欢呼声，肩膀都会微微颤抖。看到他这副模样，户冢的粉丝又会发出兴奋的欢呼声，连我都忍不住兴奋起来。

"户冢应该不能上场吧……"

叶山说过是社外人员的比赛。也就是说，这是赌上了户冢和网球场的胜负。

"材木座，你会打网球吗?"

"交给我吧。我早就读完了漫画，连音乐剧都有看过。庭球可以算是我的一技之长。"

（注：暗指出过音乐剧的漫画《网球王子》。）

"好吧，是蠢到问你的我错了。另外，既然你把网球说成是庭球，那也换掉音乐剧的说法吧。"

（注：日语中"庭球"是外来语 tennis 的汉字写法，材木座说的"音乐剧"仍是外来语 musical。）

"看来只能让八幡上场了。喂，音乐剧用日语怎么说?"

"这个……"

"你有胜算吗? 还有我刚才问你音乐剧用日语怎么说!"

"我没有胜算。还有，你好吵。既然找不到日语的说法，你就换个角色设定吧，反正你的形象早就崩塌了。"

"原、原来如此……你的脑袋还挺好使的嘛。"

材木座发自内心地表示佩服。他的问题似乎已经解决，但我的问题还没有半点头绪。唉……怎么办才好呢?

我正抱头苦思，对面忽然传来不耐烦又不客气的喊声。

"喂，你们能不能快点?"

吵死了，你这碧池。我抬起头来，看到三浦正在场上检查球拍的情况。对这幕感到惊讶的人似乎不光是我，叶山也一样。

"咦？优美子也要打吗？"

"啊？这不是当然的吗？我刚才说过我想打网球了吧。"

"可是，对方应该会派出男生吧。你想嘛，就是那个叫什么来着……比企苦同学？就他。这样不是会对你不利吗？"

谁是比企苦同学啊？比企苦同学不会上场，上场的是比企谷同学……或许吧。

听了叶山的劝说，三浦也轻轻地拽钻头似的卷发，稍微思考了一下。

"啊，那就改成男女混双吧？哇，不是吧，我好聪明。不过，有女生愿意跟那位比企苦同学组队吗？还真好笑啊。"

三浦发出刺耳下流的大笑声，观众也都狂笑起来，连我都忍不住笑了。

哈！哈！哈！哈……哈哈哈！虽然很不甘心，但效果的确不一般。我眼前都一片漆黑了。

（注：出自游戏《口袋妖怪》通关失败时的台词。）

"八幡，情况不妙啊。你一个女性朋友也没有，如果去找不认识的女生，又不会有人帮助独来独往又俗不可耐的你。我们该怎么办？"

材木座好啰唆。但他说的是事实，我无法反驳。

事到如今，我也说不出"对不起，刚才的话就当人家没·说·过·吧"了。不知道该如何是好的我瞟了一眼材木座，但他尴尬地移开视线，吹着蹩脚的口哨装起傻来。

我不禁叹气，由比滨和户冢也被传染得叹了口气。

"……"

"比企谷同学，抱歉，如果我是女生就好了……"

就是说啊，为什么户冢不是女生呢？他明明这么可爱。

"别多想。"

我没有说出内心的挣扎，轻轻地拍了下户冢的头。

"还有……你也不要勉强自己。既然你有容身之处，当然要好好地守护它。"

听到我这么说，由比滨的肩膀抖了一下，她有些过意不去地咬起嘴唇。

由比滨在班上有自己的立场。这家伙与我不同，她的人缘很好，而且她应该也想和三浦等人继续做朋友吧。

我的确是孤身一人，但也不会诅咒他人遭殃……我可没有说谎哦……这是真的……千真万确。

我们又不是和睦友好的社团伙伴，也不算朋友，只是在因缘际会下聚到一起，或者说是被聚到一起的乌合之众。

我只是想证明，孤独不等于可怜，孤独也不代表低人一等。

我知道这是我自命不凡的想法。是啊，我可是超自命不凡的呢，所以才会发动瑜伽隐身和瑜伽之火。

（注：日语中"自命不凡"有一部分与"瑜伽"的发音相同。这两个招式是格斗游戏《街头霸王2》中达尔西姆的招式。）

不过，我不想让现在的自己否定过去的自己，我绝对不会宣称独自度过的时光是罪恶，独自一人就是罪恶。

所以，我决定为了证明自己的正义而战。

我一个人走向球场的正中央。

"……来。"

忽然，我听到一个微弱到几乎被观众的欢呼声淹没的声音。

"啊？"

"我说我来！"

由比滨"呜呜"地呻吟着，憋得满脸通红。

"由比滨？笨蛋。你的脑子又短路了？别瞎说。"

"什么笨蛋啊！"

"你干吗上场？你是笨蛋吗？还是说你喜欢我？"

"什……什么？你、你在说什么啊，蠢死了。大——笨蛋！"

由比滨大发雷霆，连着骂了几声笨蛋笨蛋。她被气得脸红到脖子，又从我手里夺过球拍乱挥起来。

"对对对对不起！"

我边躲闪边迅速道歉，从耳边掠过的咻咻声真的好恐怖。由比滨大概是看出我在道歉的同时，用目光质问她"那是为什么"。她害羞地扭头看向一旁。

"那个，该怎么说呢……我也加入了侍奉社……所以，正常人都会这么做的……这里也是我的，容身之处。"

"不，你冷静点啦。先看看周围吧，你的容身之处不光是这里吧？看啊，你那个圈子的女生都在瞪你哦。"

"咦，不是吧？真的?"

由比滨听到我的提醒，才表情僵硬地看向叶山那边。她的脖子仿佛发出了"叽叽"的响声，动作不自然到该上点KURE 506了。

（注：KURE 5-56是日本吴工业生产的润滑油。）

叶山集团的女生奉三浦为首，全都交叉双臂望着这边。这也难怪，谁让她刚才喊得那么大声，被人家听到是正常的。

三浦被睫毛膏和眼影涂成全黑、大到不正常的眼睛满是敌意，钻头般的金色卷发正不愉快地摇晃着——你是蝴蝶夫人吗？

（注：蝴蝶夫人是漫画《网球甜心》中龙崎丽香的绰号。）

"结衣，你跟着他们就是与我作对，这样没问题吗？"

三浦像女王般抱起双臂，脚尖不停地点着地面，她摆出了女王发怒的招牌动作。在这股气势的震慑下，由比滨垂下视

线，捏着裙摆的指尖也因紧张而微微颤抖。

好事的围观群众交头接耳地小声议论起来。这场景根本就是公开处刑。

不过，由比滨抬起了头，坚定地目视前方。

"我，我不是……那个意思。但是，我也很在乎社团活动，所以，所以……我要上场。"

"哦……是吗？那你可别自取其辱。"

三浦冷冷地答道。她的脸上浮现起一抹笑容，有如熊熊燃烧的地狱之火。

"换衣服吧。我要借女子网球社的球衣，你也一起来吗？"

三浦用下巴示意球场旁的网球社活动室。她也许是出于好意，但她的动作看上去就像是在说"到活动室后面宰了你"。周围人都用同情的眼神，目送面部僵硬的由比滨跟着她离开。

好吧，我也只能说句节哀顺变了。

"我说，比企苦同学。"

叶山向双掌合十的我搭话道。居然会主动向我开口，这家伙的社交能力很强嘛，虽说他把我的名字叫错了。

"干什么？"

"我不大了解网球的规则，双打好像还很复杂，不如我们随便玩玩吧？"

"好啊，反正在网球这项运动上，我们都是门外汉。那就像打排球那样，纯靠对打来算分吧？"

"哦，这样比较容易理解呢。是个好办法。"

叶山爽朗地笑了起来。我也配合他露，出了厌恶的狞笑。

没过多久，两位女生就回到了场上。

由比滨满脸通红，拼命地拽着裙摆向这边走来。她身上穿着 POLO 衫上衣与网球短裙。

"总感觉……网球装好丢脸……裙子不会太短吗？"

"没有啊，你平时裙子不就这么长吗？"

"什么？你什么意思！难、难道你平时都在盯着人家！恶心恶心好恶心！你真是恶心死了！"

由比滨瞪着我高高地举起球拍。

"没关系！我完全没在看啦！视而不见！所以放心吧！还有别打我！"

"你这样……我更生气……"

由比滨嘴里嘟嘟囔囔，却还是慢慢地放下了球拍。

材木座看准时机，故意清了清嗓子说：

"嗯，八幡，你准备好对策了吗？"

"差不多吧。只要把火力集中在那对组合的女生身上就行了。"

那个白痴女人肯定会被秒杀，所以她毫无疑问是这场比赛的关键。比起与叶山正面对决，还是对付她比较容易。但由比滨听到我的回答，惊讶地大叫起来。

"啊？你不知道吗？优美子初中时可是女子网球社的哦？她还进过县队呢！"

听她这么一说，我才仔细观察起那个叫优美子的蝴蝶夫人。她的动作的确像模像样，身手也轻盈矫捷。看到这幕，材木座压低声音嘀咕道。

"啧，看来那个钻头女不简单啊。"

"咦？那个叫大波浪卷才对。"

叫什么都行啦。

×　　　×　　　×

比赛进入了火花四溅，一进一退的胶着状态。

刚开始的时候，观众们还时不时地爆发出热情的欢呼和尖叫声，但随着对决越来越紧张，他们全都屏住呼吸追着球的去向，有人得分就叹气或喝彩，像是在看电视上转播的职业联赛。

长时间的对打使大家的神经都保持着绷紧的状态，每打一球就会让人放松一点。

钻头女的一记发球打破了现场的平衡。

"咻啪"一声，拍子击中球的声音刚刚响起，球已经像子弹般射向这边的球场，又弹到了后方。

刚才那是什么啊？她打的球也是钻头？

就结论而言，蝴蝶夫人是一流的网球选手。

"未免强过头了吧……"

我不由得抱怨道。

"我不是说了嘛。"

由比滨不知为何有些自豪地说道。喂，我们是队友吗？

"话说回来，你从刚才起就完全没打到球吧……"

"这个嘛，因为我不会打网球。"

由比滨傻笑着敷衍我。

"你没打过网球，还说要上场？"

"唔。是，是我不好嘛！"

笨蛋，你理解反了。我的意思是你怎么那么老好人啊？明明不懂这项运动，还能为了户冢在众目睽睽之下比赛，一般人可做不到这种地步。要是由比滨的网球技术高超就更好了，但可惜不能事事都称心如意。

刚开始凭借我与墙对打训练出来的精准发球，才能保持较小的弱势咬住分数，但进入下半场后，双方的比分渐渐拉大了。

© ponkan⑧

不过，这也是因为对方把火力集中在了由比滨身上。

或许是我出人意料的精彩回球让他们大吃一惊吧，那两个人也适时改变了目标。不过，这也可以解释为他们没把我放在眼里就是了。

"由比滨，你做前卫，我来负责后方。"

"嗯，拜托了。"

我们确定了基本方针，各就各位。

叶山强劲快速的发球飞了过来，正好落在球场角落的边缘，马上就要被弹向远处。我从侧面拼命地扑了上去，将球拍伸到极限才勉强够到球，又用力地击出回球。

球被打回了对方的场地，但蝴蝶夫人早就做好了准备，把球打到了场地的另一边。我没看球就连滚带爬地起身，全力冲到球可能落下的位置。

还好我不顾一切跑起来的腿还算听话，追着球冲到落点的我总算赶上了已经弹起的球，瞄准球场边界回击过去。

可是，我的企图似乎被叶山看穿，他从正面等待球飞回去，又虚晃一枪，朝我和由比滨之间的位置回了一个带有试探性质的网前低球。

失去平衡的我无论如何都赶不上了，我向由比滨使了个眼色，她连忙跑向球的落点把球打了回去。虽然命中了，但她全力击出的球还是飞到了蝴蝶夫人面前的高度，才开始下坠。

蝴蝶夫人也使出全力击出回球，脸上浮现出残虐的笑容。那颗球擦过由比滨的脸颊，消失到球场后方，在空无一人的地方发出"砰"的一声弹了起来。

"你没事吧?"

我没有捡球，先开口关心瘫坐在地的由比滨。

"好吓人。"

听到眼泪汪汪的由比滨这样说，蝴蝶夫人的脸上闪过一瞬担心的表情。

"优美子，你的性格很恶劣呢。"

"什么！才不是！在比赛中这是很常见的事！我哪有坏到那个地步！"

"是啊，你只不过是虐待狂而已。"

叶山和蝴蝶夫人的争执引来了笑声。观众们都随之大笑。

"阿企，我们绝对要赢。"

由比滨说完，站起来捡起了球拍。这时，她忽然小声地发出"好痛"的尖叫。

"喂，你没事吧？"

"抱歉，我好像扭到脚了。"

由比滨的脸上浮现起羞涩的微笑。刹那间，泪水也夺眶而出。

"要是输了，小彩会很伤脑筋的……啊，糟糕，这样下去可能真的不妙……这也不是道歉就能解决的事……对吧？啊，真是的！"

由比滨懊恼地咬着嘴唇。

"还好吧，车到山前必有路，大不了让材木座换上女装。"

"那不是一下子就暴露了吗？"

"也对哦。那就这么办吧。你站在场地中央就行了，剩下的事都交给我来想办法。"

"你有什么办法？"

"网球有一招自古流传至今的禁忌招式，其名为'球拍变火箭'！"

【注：球拍（racket）与火箭（rocket）发音相似。】

"那是纯粹的粗野动作吧！"

"大大大不了就是逼我使出绝招。只要我认真起来，就算让我下跪舔鞋都绰绰有余。"

"你认真的方向反了吧……"

由比滨无奈地叹了口气，又扑哧一声笑了起来。不知道她是扭伤太痛，还是笑到流泪，她用湿润而又通红的双眼直勾勾地盯着我。

"哈哈，阿企真是笨死了。性格差劲，还固执得要死，真是差到极点了。那时你也一样，完全不懂得适可而止，像个笨蛋似的拼命冲出来，还发出变态的大叫声……我还记得一清二楚呢。"

"呃，你在说什么……"

由比滨像是对我失望透顶般打断了我的话。

"我没法陪你打下去了……"

她抛下这句话，转身离开了球场。她对着困惑不解的观众嚷着："让开让开，别挡路！"便穿过人群消失不见。

"那家伙在说什么鬼话？"

我被一个人孤零零地留在场上，目送着由比滨离开的背影。刺耳的笑声突然响了起来。

"怎么了？跟朋友吵架啦？还是被她抛弃了？"

"胡说八道。我这辈子还没跟人吵过架，谁让我根本没有关系好到能吵架的朋友啊！"

"咦……"

叶山和蝴蝶夫人好像被吓到了。

咦？刚才那句是笑点才对吧？

原来不是关系近到一定程度，这种自虐笑料只会让对方当真……

人群之中只有材木座在强忍笑意。我咋着舌转过头去，材木座又装作事不关己的样子喃喃自语地混到了观众里。

那个混蛋逃跑了啊……不过，换作是我也会装作路人逃走的。户冢面带着沉痛的表情向我送来悲伤的目光。

好吧，看来我差不多该向对方下跪了，就让你们见识一下我的真本事吧。

谄媚的时候就要舍弃尊严全力谄媚，这就是我的尊严。

在只有我尴尬到无所适从，氛围格外伤人的球场上，观众们突然喧闹起来。

人墙自然而然地分开一条通道。

"这里在蠢兮兮地吵什么？"

穿着体操服，一脸不悦的雪之下从人群中走了过来，她的一只手还抱着急救箱。

"啊，你刚才去哪了？还有，你这身打扮是怎么回事？"

"谁知道呢。我也不太清楚，在由比滨的央求之下换上了衣服。"

雪之下说完便转过头，由比滨从她身后走了出来。她正穿着雪之下的制服，看来她们两个交换了服装。那她们是在哪换的衣服啊？难道是在外面？唔……

"这样输掉会让人不甘心，所以我就去请小雪了。"

"为什么要找我……"

"因为这种时候能靠得住的朋友，只有小雪啊。"

由比滨的话让雪之下颤抖了一下。

"朋、友？"

"嗯，朋友。"

由比滨毫不犹豫地答道。喂，你说真的啊？

"一般人会求朋友解决麻烦事吗？我觉得只是利用对方而已。"

"咦？可不是朋友的话，才不会去求对方呢。怎么可能随便找个人让他解决这么重要的事情呢？"

由比滨理所当然般地开口便答。

哦哦，原来是这样啊……

我经常会被"我们是朋友吧"这句话骗去替别人值日，所以对这句话完全没有实感呢。原来如此。我和他们其实是真正的朋友——才怪咧。

雪之下和我的感想应该差不多吧。她用手指点着嘴唇，默默地开始沉思。

她会怀疑也是正常的，就连我都无法轻易相信她。

"我想，这家伙应该是认真的。谁让她是傻瓜呢。"

我的一句话点醒了雪之下。她露出我很熟悉的笑容，轻轻地撩起搭在肩头的长发。

"可不可以请你不要小看我？我对自己看人的眼光还是很自信的，能够温柔对待比企谷同学和我的人，不可能是坏人。"

"这个理由还真可悲……"

"但它是真理。"

您说得是。

"让我打网球是无所谓……不过，可以先等一下吗？"

雪之下说完，向户冢走去。

"伤口自己能处理吧？"

户冢一脸讶异地接过了雪之下边说边递出的急救箱。

"咦？啊，嗯……"

"小雪，急救箱是你特意取来的吧……你果然很温柔呢。"

"是吗？不知道是哪个人在暗地里把我称作'冰雪女王'。"

"你、你怎么知道……啊？难道你看过我的'绝对不可饶恕清单'了吗？"

糟糕！那可是我倾尽所有辞藻辱骂雪之下的日记！

"我对你太失望了，原来你真的说过……算了，反正我不在乎别人怎么看我。"

雪之下说完，就扭头看向一旁。不过，她的表情没有以往那么冷酷，反而带有些许困惑。刚开始理直气壮，说着说着越来越小声，最后还错开了视线。

"所以……就算被别人当做朋友，我也无所谓。"

雪之下的脸颊仿佛在"砰"的声响下变红了。她从由比滨手里接过球拍，遮住脸瞄着地面。

看到她莫名其妙的可爱举止，由比滨忍不住抱住了她。

"小雪！"

"等等……不要离我这么近，好挤而且好热……"

咦？这种情况下她不是应该对我害羞才对吗？为什么她总是对由比滨害羞？不对劲吧？这不就成了蔷薇和百合CP的恋爱喜剧了吗？

恋爱喜剧之神真是大笨蛋。

雪之下总算挣脱了由比滨的怀抱，清了清嗓子后说道：

"虽然我很不情愿跟那个男人搭档……但现在似乎只能如此了。你的委托我接下了，只要赢得这场比赛就可以了吧？"

"嗯……唉，谁让我没法帮阿企获胜呢！"

"给您添麻烦了，对不起。"

我向雪之下低头致歉，而她只是以无比冷漠的眼神看着我。

"你可别误会。我这么做并不是为了你。"

"哈哈哈，你又说那种傲娇发言了。"

真是的，讨厌啦……哈哈哈哈。哎呀，最近很少听到这么标准的句式了呢！

© ponkan⑧

"傲娇？感觉是个让人背后发冷的词。"

也对。雪之下怎么可能知道傲娇是什么，更何况这个女人不会撒谎。她的话不管多难听都是真话，所以，她肯定不是为了我才决定上场。

不过，反正我也没打算博得她的好感，这样就足够了。嗯。

"比起这些，记得之后把那个清单交给我，我会帮你删改。"

雪之下笑靥如花，但我的心却感觉不到一丝温暖。这究竟是为什么呢？

真的好恐怖，就好像一只凶悍的老虎挡在我的眼前。

既然前门有虎，后门肯定有只狼吧，又或者是匹马。

"你是……雪之下同学吧？不好意思，我可不会对你手下留情。你不是大小姐吗？如果不想受伤的话，我劝你还是趁早放弃吧。"

我回过头去，只见三浦正用手指绕着钻头，脸上浮现起高傲的笑容——啊，三浦这个蠢女人，公然挑衅雪之下根本就是主动竖起死旗……

"放心吧，我会对你手下留情的。看我如何粉碎你廉价的自尊心。"

雪之下说完，露出了无敌的笑容。至少在我看来是如此。

倘若与她为敌，雪之下会是个让人头大的对手，但作为同伴，她会成为坚强的后盾。所以，与这女人作对的人真的很可悲。

叶山和三浦都摆好了姿势。雪之下的残忍笑容冰冷而又美丽，使我不由得挺直脊梁。

"竟敢欺负我的朋……"

雪之下说到这里，脸上飞起一抹红晕。嗯，把那个词说出口很丢脸呢。雪之下静静地摇了摇头，重新开口说：

"竟敢欺负我的社员，你们做好心理准备了吗？丑话说在前面，别看我这样，可是会记仇的类型。"

只看一眼就知道你是会记仇的类型了。

×　　　×　　　×

经过种种风波，网球对决总算凑齐选手，进入了真正的最终阶段。

叶山与三浦组合取得先发，蝴蝶夫人即钻头女三浦负责发球。

"我说啊，不知道雪之下同学你知不知道，我可是超会打网球呢。"

三浦像是篮球选手在运球般，不停地把球扔向地面，接住再抛回去。雪之下以眼神示意三浦继续说下去。

三浦咧嘴一笑。她的笑容与雪之下完全不同，是充满了攻击性的野兽之笑。

"万一在你的脸上划出伤痕，我可要先说声抱歉。"

哇啊，好恐怖。我还是第一次听人发出危险球预告宣言。

刚想到这里，击球的清脆音响起，紧接着便是破风而来的尖啸声。

高速发球径直地飞向雪之下左侧，靠近左边界的位置。对于右撇子的雪之下来说，这应该是个挥拍范围之外的球。

"太天真了。"

当我听到这声低语时，雪之下已经摆好了迎击姿势。她的左脚向前踏出一步，又以此为轴心，如同在跳华尔兹般转了个圈，右手的球拍反手接住了飞来的球。

宛若拔刀的击球闪过眼前。

回球在三浦的脚边弹起，吓得她发出一声惨叫，那是一个令人瞠目结舌的超高速王牌球。

　　"我想你应该不知道吧，我也很会打网球。"

　　雪之下伸出球拍，像是在看一只虱子般冷冷地注视着三浦。而三浦后退一步，以混杂着畏惧与敌意的眼神回望雪之下。她的嘴角微微咧起，念念有词地诅咒着对方。能让女王三浦露出那种表情，雪之下真可怕。

　　"亏你能把刚才那个球打回去啊。"

　　雪之下对三浦吓唬人的毁容言论不置一词，瞄准一点精确地击出回球。

　　"因为她与那些捉弄我的同学有着同样的嘴脸，我早就看穿那号人的龌龊想法了。"

　　雪之下得意地笑着，开始发动反击。

　　她将防御化为攻击。"攻击就是最强的防御"这句话并不适用于她，雪之下会利用每一次防御发动攻击。每次对方的发球都会被她打回原来的场地，对方的回球又会被她二话不说地打回去。

　　雪之下精湛的技术让观众们看得如痴如醉。

　　"哈哈哈哈哈哈！我军获得了全面胜利！杀他个片甲不留！"

　　（注：出自动画《机动战士高达》中基连·扎比的台词。）

　　看到了胜利之光的材木座不知何时回到了场边，试图加入赢家的阵营。这家伙真让人火大！不过，材木座会回来也说明形势已被逆转。

　　我和由比滨在场上时完全是客场状态，但现在观众的声援已倒向了雪之下，甚至还有不少男生对雪之下投以热情的目光。

　　雪之下是理科生，所以周围这群人不够了解她的本性。再

加上她出众的美貌与神秘的气质，会给人以高不可攀的印象。比起可怕，更像是身上有着可远观而不可亵玩的禁忌封印。

能够轻松打破这道封印的由比滨当真勇气可嘉，不过这也跟她是超级笨蛋有关。

她表里如一，直来直往的坦率性格打动了雪之下。除了由比滨，应该没有人能把雪之下带到这里来吧。为了坚强勇敢的由比滨，雪之下也拼尽全力地在场上表现。换作是我求她，她八成不会来。

原本拉大的分数被渐渐追了回来。

在场地正中舞动的雪之下有如灵动的妖精，舞蹈般的步伐成为了舞台上最美的节目。像我这样的龙套角色，只能偶尔回个软弱无力的球。尽管如此，每当我碰到球，观众都会投来"谁要看你啊"的视线，将我的心狠狠刺痛。

仿佛是在响应观众的期待，下面又轮到雪之下发球了。

她紧握着球，向空中高高抛起。那颗球宛如被蓝天吸走，向场地的中央飞了过去。下落的位置很明显与雪之下的站位相距甚远。

所有人都以为她失误了的那一刻——

雪之下跳了出去。

她的右脚向前迈出一步，又送出左脚，最后双脚并拢一蹬地面，轻快的步调有如断奏的音符。

雪之下在空中华丽地飞舞，举手投足有如傲然驰骋的鹰隼，令观者无不深受震撼。那纯粹的美与速度让所有人都几乎忘了眨眼，将那一幕烙印在自己眼中。

"咚"的一声清脆地响起，那颗球已在地上滚动。但无论是我、观众，还是叶山和三浦，所有人都纹丝不动。

"跳、跳发。"

依然没从惊愕中平复过来的我低喃道，雪之下的惊人绝技使我瞠目结舌。她仅凭一人之力挽回了大比分落后的局势，现在还反超一分。只要再得一分，胜利就是我们的了。

"你还真是了不得。照这个趋势，我们肯定能轻松获胜。"

我说出了发自肺腑的感想，但雪之下突然皱起眉头。

"可以的话我也想赢……但似乎是不可能了。"

我正要问为什么，叶山已经摆好了发球的姿势。

好吧，算了。反正只要雪之下再来一发绝杀球，我们就赢了。我没有放松大意，只是单纯地相信我们会赢，所以从容地做好了迎击的准备。

叶山似乎已失去斗志，发球不再像刚才那么强劲。虽然速度较快，但也只能算是一个普通的发球。结果，那颗球飞到了我和雪之下之间。

"雪之下！"

我喊了一声，把球交给雪之下，但她没有回应。"砰"的一声，球疲软无力地从我们之间弹起。

"喂，喂！"

"比企谷同学，我可以夸耀一下自己吗？"

"什么啊？还有，刚才那一球是怎么回事！"

雪之下似乎没把我的回答当回事，长叹了一口坐在球场上。

"我从小就什么都会，所以没有一件事不是半途而废。"

"你突然之间乱讲什么啊？"

"以前曾有人教我打网球，但我只学了三天就赢了他。大多数运动——不，不只是运动，乐器也是如此，我基本上只要三天就能学会。"

"真是名副其实的半途而废——而且你还真的只有自吹自

撞啊！你到底想说什么？"

"我只对自己的体力没有自信。"

沉闷的声响传入耳中，那颗球掉在了雪之下的身旁。

事到如今，说什么都晚了。

雪之下不管学什么都一学就会，所以没有恒心，从不坚持练习，导致奇差无比的体力成了她的致命弱点。说起来，午休期间的网球练习她也只是在旁边看着。仔细想想，这个道理的确说得通。人都是为了变强才会努力练习，练习时间越长，体力也越充沛。

可是，从一开始就天下无敌的话，就根本不需要练习，也不可能练出体力了。

"等等，你声音太大……"

我边说边看向叶山和三浦。野兽女王的脸上果然浮现起狰狞的笑容。

"我已经听到了哦。"

三浦以攻击性的语气对我说，仿佛这样便能一雪前耻。她身旁的叶山也微微一笑。

情况真是糟到了极点。我们的领先优势只维持片刻，很快就被追成平分。

我们这群网球门外汉的比赛采用了修改版的规则。平局后必须出现两分的差距才算分出胜负。

值得信赖的雪之下耗尽体力，对手还得知了这个噩耗。刚才已经证明我的发球对他们无效，就算我打过去，也会被轻松打回。

"让你们得意，结果还不是没戏可唱了？"

三浦的挑衅让我无言以对。雪之下也陷入沉默——不，应该说是累得筋疲力尽，她的头一点一点地打起了瞌睡。你是飞影啊?

（注：飞影是漫画《幽游白书》中人物，在放出绝招黑龙波之后，需要冬眠六小时恢复体力。）

三浦从喉咙里挤出几声干笑，轻蔑地瞧着我们。她似乎在考虑该如何对我们处刑，眼神像蛇一样冰冷。你果然是森林蟒蛇？

叶山察觉到现场剑拔弩张的氛围，连忙跳出来打圆场。

"我们双方都努力了，不必较真啦。既然打得这么开心，干脆算作平手吧?"

"喂，隼人，你在说什么啊？说好了是比赛，就该做个了断吧!"

换言之，她想在比赛中赢过我们，名正言顺地从户冢手里抢走球场。话说回来，"做个了断"这个词真可怕……她会对我做什么呢？想都不敢想啊，我很怕疼的。

我还在一旁观望局势，忽然有人咋了下舌。

"你能不能安静一点?"

雪之下不高兴地说道。三浦还没来得及反应，她就迅速地继续说。

"这个男人会拿下比赛，你们就老老实实地认输吧。"

此话一出，大家都怀疑是不是自己的耳朵听错了。这其中当然也包括我在内，而且我还是最惊讶的那个。

在场所有人的视线都集中在我身上。原本在与不在区别不大，甚至被质疑出场必要性的我，存在感顿时倍增。

我与材木座四目相对——干吗竖起大拇指啦。

我与户冢四目相对——你在期待什么啊。

我与由比滨四目相对——不要那么大声地为我加油，好丢脸!

我与雪之下四目相——她扭开脸，把球扔了过来。

"你应该知道吧？我经常口出恶言，但从不妄言。"

也许是因为风停了，她的声音听起来格外清楚。

是啊，我知道。只有我和这些人会撒谎。

×　　　×　　　×

在有些不自然的寂静中，只有网球敲打地面的"咚咚"声响起。

伴随着独特的紧张感，我让自己沉浸在意识的最深处。

能行，我能做到。我试图让自己相信。不，是一定要相信自己。

因为我不可能输。

校园生活净是些难过、痛苦、讨厌的回忆，但我还是孤零零地坚持下来。凄凉悲惨的青春时代，我也是独自一人去经历。这样的我，怎么可能输给那些在一大群人的支持下度日的家伙？

午休时间很快就要结束了。

平时这个时候，我正好会在网球场对面、保健室旁边的座位上享用午餐。

由比滨与我交谈，第一次与户冢说话的那个地点，那个场景划过脑海。

我侧耳倾听。

不是三浦的嘲笑声，也不是观众的喧闹声。

呼——

我听到了这样的声音。这一年间，或许只有我听过这个声音。

在这个瞬间，我发出了球。

那是一个软弱无力，还有些轻飘飘的发球。

我看到三浦兴高采烈地冲了上去，叶山也迅速地在后方做好支援。观众的脸上浮现起失望的表情，户冢也闭上了双眼。我还看到材木座紧握拳头，又与正在祈祷般十指交叉的由比滨视线相对。然后，雪之下胜券在握的笑容映入我的眼帘。

发球无力地画出一道摇摇晃晃的曲线。

"好！"

三浦发出蛇一般的嘶叫声，来到了球的下落地点。

就在这时，场上刮来了一阵风。

三浦，你一定不会知道。

午后的总武高中附近，总会刮起特殊的海风。

受到风的影响，发球改变方向飞到一旁，落在了远离三浦的球场边界。但是，叶山已跑向那边。

叶山，你一定不会知道。

这阵风不是只吹一次。

这一年来，我独自坐在那里，不与任何人交谈，静静地度过每天的午休。所以，只有我才知道。只有那阵风了解我的孤独，了解那段静谧的时光。

任何人都做不到，只有我能打出的魔球。

再次吹起的风改变了弹起的球的方向。

球飞向球场的角落，"砰咚"一声落下，轻轻滚向一旁。

所有人都闭口不语，侧耳倾听，双目圆睁。

"这么说起来，我好像曾听说过……能够随心所欲操纵风的传说中的绝技，其名为风之继承者·风精把戏！"

不识情趣的材木座高声吼道。

不要乱起外号啦。难得的气氛都被你搞砸了。

"不敢相信……"

三浦惊愕地嘀咕道。以此为信号，观众也交头接耳地议论起来，最后变成了"风精把戏？""风精把戏！"的口号大合唱。喂，你们怎么能当真？

"被摆了一道呢……这真的是'魔球'。"

叶山冲着我微笑起来，就好像我们是多年的老友。被他从正面这么瞧着，我只好紧握住球，僵立在原地。

因为我真的不清楚在这种时候应该回答什么。

所以，我忍不住提出一个莫名其妙的话题。

"叶山，你小时候玩过棒球吗？"

"有啊，而且常玩。怎么了？"

我不知所谓的问题使叶山一脸讶异。不过，他还是乖乖地回答了我。这家伙也许真的是个好人。

"你们是几个人玩？"

"啊？棒球不都是凑齐十八个人才能玩的吗？"

"是哦。不过，我经常一个人玩。"

"咦？什么意思？"

叶山这样问道。但就算我解释一番，他也不会明白吧。

不只是这一件事。

你能理解在热到要死的夏天和手指快要冻僵的寒冷雪天，一个人骑着自行车上下学的痛苦吗？你们都是叽叽喳喳地议论着"好热啊"、"好冷啊"、"真不敢相信"来转移注意力，但我只能孤独地熬完全程。

你怎么可能理解每次考试都问不到考试范围，只好默默地埋头学习，靠真才实学拿到分数的恐惧？你们都是凑在一起对答案，互相比比成绩，再笑话对方是笨蛋、是学霸来逃避现实，但我只能坦率面对。

怎么样？这就是我最强的一面。

我忘情地摆出发球的姿势。

身体弯曲如弓，将球高高地抛向天空，用双手紧握住球拍的拍柄，将其抽拉至脑后。

蔚蓝的晴空，即将逝去的春天，悄悄来临的初夏——我要将这些青春的字眼全都击个粉碎。

"去你的青春——"

我用棒球中捞击挥棒的动作，将下落的球狠狠地打了出去。

球恰好命中球拍最硬的框架部分，发出"咣"的响声，宛如被吸入蓝天般直飞冲天。

越飞越高的球在遥远的空中变作了一个小黑点。

"这、这一招是……翔空破坏神·陨铁灭杀！"材木座探出身子吼道。

拜托，不要总是乱起外号行吗？

翔空破坏神陨铁灭杀……大家纷纷跟着他念念有词。为什么连你们都接受设定了啊？

这又没什么大不了，只不过是捕手高飞球罢了。

让我来解释一下吧。小时候我没什么朋友，所以就发明了单人棒球这种全新的运动。一个人投球，一个人击球，一个人捕球。为了能玩更长时间，我又费尽心血钻研发现，超高的捕手高飞球最能让我长时间地享受棒球的乐趣。

另外还有接杀就算出局，漏掉的球在地面弹起来再接便是安打，打得远一些就可以视为全垒打。这种游戏的缺点就在于不能对攻守任何一方投入感情过多，不然就有可能变成单方面的虐杀。与单人猜拳一样，最重要的是保持平常心。好孩子千万不要模仿，还是跟朋友们一起玩棒球吧。

不过，这是我孤独的象征，也是最强的武器。

从空中降临，对歌颂青春者予以制裁的铁锤。

"那、那是什么？"

三浦仰望着天空惊呆了。叶山也眯着眼睛望向天空，但他忽然回过神来。

"优美子！快让开！"

叶山对目瞪口呆地愣在原地的三浦吼道。看来叶山已经觉察到了，可惜为时已晚。

击向空中的球渐渐地失去了助推力，在重力的牵引下，两者的力量达到均衡的时刻，网球静止在空中。

当这种均衡被打破，位能便转化为动能。网球变成自由落体，那股能量在落地的瞬间，会全部爆发。

咚！网球落地，卷起了漫天烟尘。

结束了漫长的空中之旅后，那颗球在尘土中再次飞向空中。

三浦为了击球，以凌乱的步伐冲到了烟尘中，球摇摇晃晃地飞向场地后方的铁丝网。

啊，糟糕。三浦要撞到铁丝网了。

"唔！"

叶山扔掉球拍，朝那边飞奔而去。

来得及吗？能赶上吗？

两人的身影消失在一片烟尘之中。

转瞬的寂静。

我听到了某人咽下唾沫的声音，或许那根本就是我的喉咙发出的声响。

没多久，烟尘散尽，两人又出现在众人的视野中。

叶山的后背撞在了铁丝网上，他为了保护三浦而抱住了她。三浦则满脸通红地缩在叶山怀中，攥着他的前襟。

刹那间，观众发出震耳欲聋的欢呼声，所有人都站起身来热烈鼓掌。

叶山轻轻地摸了摸缩在他臂弯中的三浦的头，像是在安慰她。这让三浦的脸更红了。

于是，在场的观众一哄而上，将叶山和三浦团团围住。

"隼——人！耶！隼——人！耶！"

午休结束的铃声代替祝福的钟声响彻校园。接下来他们再接个吻，就可以播放演职员名单了。

所有人都像是看了大成本制作的娱乐电影，或是读了一本精彩的青春恋爱喜剧小说，浑身上下充斥着奇妙的成就感与莫名的虚脱感。

然后，他们一边欢呼，一边抛着那两个人消失在校舍方向。

全剧终。

这算什么啊？

×　　　×　　　×

只有我们被留在了场上。

"这样算是赢了球赛，输了比赛吗？"

雪之下百无聊赖地说完，我不禁嗤笑出声。

"别说傻话了。就凭我们，根本无法与那些家伙抗衡。"

歌颂青春的人永远都是主角。

"嗯，那倒也是。要不是阿企也不会变成这样。明明获胜却被人当成空气，反而显得更可怜了。"

"喂，由比滨，你说话小心点。你不知道比起恶意的攻击，坦率的感想往往更伤人吗？"

我眯着眼睛这样说道，由比滨却没有丝毫歉意。

算了，毕竟她也没有说错，所以没必要感到歉疚。叶山和三浦从开始就不在乎这场比赛的输赢。即使是惨败，他们也会把把这件事当成青春美好的一页珍藏一辈子，让我们输得一败涂地。

这算什么啊？青春给我爆炸吧！

"啊，真是的，叶山又有什么了不起啦？如果我的身世与成长环境不同，也能变成他那样。"

"那你就不是你了……不过，我也觉得你重新投胎比较好。"

雪之下绕着弯子骂我去死后，又用冷冰冰的视线瞧着我。

"但、但是，该说幸好你是阿企呢，还是什么……我觉得，这样也不赖……"

由比滨支支吾吾地嘀咕着，我根本听不懂她在讲什么。说话的时候吐字清晰点，你以为你是在服装店里向店员搭讪的我啊？

但雪之下似乎听清楚了，她淡淡一笑，平静地点点头。

"嗯，虽然很遗憾，但的确有人被你这种邪门歪道的做法所拯救。"

雪之下轻移视线，只见户冢正小心翼翼地拖着受伤的腿向这边走来，而材木座像跟踪狂一样跟在他的身后。

"八幡，干得好，不愧是我的搭档。但总有一天，我们还是要分出高下……"

我无视了不知为何望着远方，开始自言自语的材木座对户冢说道：

"伤还好吧？"

"嗯……"

我这时才忽然醒悟，我的身边只剩下男人了。也许是因为材木座的出现，雪之下和由比滨在我不知不觉间没了踪影。

叶山收获像詹姆斯·邦德一样有美女奉陪的完美结局，可是我的周围只有男人。这根本就是《天龙特攻队》的结局，凭什么落差会这么大？

难道恋爱喜剧只不过是都市传说吗？

"比企谷同学……谢谢你。"

户冢站在我的面前，目不斜视地盯着我。他刚说完这句话，就羞涩地错开视线。老实说我很想抱着他亲一口，但这家伙是个男人啊……

这种恋爱喜剧绝对有问题，而且户冢的性别也有问题。顺便一提，户冢道谢的对象也搞错了。

"我什么都没做，你要道谢的话，应该向她们……"

我边说边环视四周，搜寻那两个人的身影，我瞥到了在网球社活动室旁边轻轻晃动的双马尾。

原来她们在那儿啊。

想向她们道声谢的我绕到了活动室一旁。

"雪之……啊！"

我一不小心撞见了更衣场景。

雪之下敞开衬衫，淡淡的黄绿色若隐若现。虽然还套着网球裙，但上下不平衡反而突显出她匀称苗条的身体曲线。

"你，你你你！"

干什么啦，在人家专心欣赏的时候吵什么吵！把我的记忆吓跑了怎么办？等等，由比滨也在。

我居然撞上了更衣桥段。

由比滨脱衬衫的时候，似乎喜欢从上往下解扣子，她一只手拿着裙子，正要递给雪之下，换言之她的下半身没穿裙子。

"你给我去死吧!"

"哐当"一声,两柄球拍砸向我的面门。

没错,青春恋爱喜剧应该是这样才对。

干得漂亮,恋爱喜剧之神。呜呼!

升学就业指导调查表

总武高级中学	2 年 J 班

注音　Yukinoshita　Yukino
姓名

雪之下　雪乃

男・⒥女

座位号　　38

请写下你的座右铭。

绝对正义。

你在毕业相册上"将来的梦想"这栏写的什么?

成为继承父亲地盘的候选人。

为了将来，你在做怎样的努力?

人心操控术。

老师的评语
我很欣赏你的直率，但你也可以考虑一下其他选择。
另外，你的人心操控术很蹩脚。
请继续加油吧。

第八章
然后比企谷八幡开始沉思

青春。

虽然写出来只有两个字，但这个词是如此的震撼人心。它会使进入社会的成年人感到甜蜜的痛苦与怀念，让豆蔻年华的少女永怀憧憬，也让我这样的人产生强烈的嫉妒与深深的憎恶。

我的高中生活并非前文所述的那样绚丽缤纷，而是灰暗阴沉的黑白世界。从开学典礼那天遭遇交通事故时起，就已经前路黯淡了。后来除了平时在家和学校间两点一线，节假日去图书馆，每天都过着不像是当今高中生应有的生活。恋爱喜剧与我实在无缘。

不过，我对此从未感到后悔，甚至还引以为荣。

因为我过得很开心。

在图书馆中流连忘返，如饥似渴地阅读长篇幻想小说；在深夜打开收音机，沉醉于主持人独具魅力的嗓音；从电子文档的无垠海洋中，拾起令人温暖的美文贝壳……这一切都是因为我过着那样的生活，才得以发现并相遇的宝物。

每次发现与相遇都令我感激感动。即便留下泪水，也绝非是长吁短叹的悲伤之泪。

我绝不否定自己的过去，否定高一的青春岁月，我反而要坚决地肯定它。而且从今往后，我的态度也不会改变。

　　不过，我也想表明，这并不代表我会否定那些歌颂青春的人所度过的时光。

　　处在青春之巅的他们，即使失败也能变成美好的回忆，争执与纠纷会化作青春一时的烦恼。

　　他们总能透过青春的滤镜看到不一样的世界。

　　如此说来，我的青春时代或许也能染上恋爱喜剧的色彩，或许也能走上正道。

　　那么，我现在所处的地方是否也有用这双死鱼眼看到光明的一天呢。我会抱有这样的期待，说明我心中有某种感情在滋生。

　　没错。在侍奉社度过的时光里，我学到了一件事。

　　让我来说出结论吧……

　　写到这里，我停下了笔。

　　放学后的教室里，只身一人留下的我"嗯"的一声伸了个懒腰。

　　我没有遭遇校园欺凌，只不过是在重写平冢老师布置给我的作文罢了。真的，我可没有被欺凌哦。

　　中间都很顺利，唯独最后的结论迟迟想不出来，害我熬到这个时候。

　　剩下的拿去社团活动室写吧……

　　我打定主意，迅速地把稿纸与文具收进书包，离开了空无一人的教室。

　　通往特别大楼的走廊上也一个人都没有，只有运动社的口号声四处回荡。

今天雪之下也在社团活动室里读书吗？那样我就能不受任何人的打扰，继续写完作文了。

反正那个社团也没有正经的活动。

虽然偶尔会有奇怪的家伙来访，但毕竟不怎么常见。大多数学生有烦恼的时候，都会找亲近的人沟通，或是打碎牙齿往肚里吞。

我想那也许才是正确的做法，也是其他人期望的处世态度。可是，有时也会出现做不到的人。像是我、雪之下、由比滨和材木座。

友情、恋爱、梦想等等，这些东西对于大多数人来说，都是美好的象征，就连迟疑和烦恼也都镶着一层耀眼的金边。

据说，这就是所谓的青春。

不过，性格扭曲的人还是会不由得认为，那些人说到底只是喜欢沉浸于青春的自己。像我那位妹妹多半会说："青春？那是你看到的光？"拜托，那是青云好不好。你《笑点》看多了吧。

（注：出自线香"青云"的广告曲《青云之歌》。《笑点》是日本的搞笑综艺节目。）

×　　　×　　　×

我打开社团活动室的门，雪之下坐在老地方，保持着平时的姿势正在读书。

听到门的咯吱声，她抬起头来。

"哦？我还以为你今天不会来了。"

雪之下说着，将书签夹进了文库本。与她最初彻底无视我，继续读书的态度相比，已经进步很多了。

"唉，我本来也想休假啊，不过还有点事没处理完。"

我抽出长桌对角，雪之下斜前方的椅子。这是我们两人的固定座位。我从书包里取出稿纸铺在桌上。雪之下来回瞄了几眼，不太高兴地皱起眉头。

"你把社团活动当成什么了？"

"你不也只是在看书吗？"

听到我这么说，雪之下不爽地扭开脸。看来今天也没有委托人。在安静的社团活动室中，只有秒针滴答作响。我忽然想起，这里似乎很久都没有如此沉默过了，难道是因为平时吵吵闹闹的那个家伙不在？

"对了，由比滨呢？"

"今天她好像和三浦同学她们去玩了。"

"哦……"

我有些吃惊。不过，仔细想想也没什么好奇怪的。她们原本就是朋友，而且自从那次网球比赛之后，连外人都能看出三浦待人的态度变得温柔许多。或许是因为由比滨说出了自己的真心话吧。

"比企谷同学才是，你今天怎么没和你的同伴一起来？"

"户冢参加社团活动去了。不知道是不是你的特训起了效果，他对社团活动又重新燃起了激情。"

所以户冢也变得不怎么理我了，真难过。

"我说的不是户冢同学，是另一个人。"

"谁啊？"

"你还问……当然是那个人啦，平时总是躲在你旁边的那个。"

"喂，别说这么恐怖的话……难道你有灵异体质？"

"哼，幽灵什么的蠢死了，那种东西根本不存在。"

雪之下叹了口气，用仿佛在说"要不然把你变成幽灵吧"的眼神瞪着我。不知道为什么，这样的对话让我有些怀念呢。

"总之，就是那个人。财……财、财津同学？是叫这个名字吗……"

"哦，材木座啊。他才不是我的同伴。"

连算不算朋友都不好说。

"那家伙说什么'今天要赶稿……抱歉，我要优先考虑截稿日'，就先回去了。"

"只有说话口气像是畅销作家……"

雪之下一脸厌恶地嘀咕道。

不不不，你也考虑一下被迫读他笔下之作的我的感受啊。那家伙还没写正文，就拿着插图设定和大纲给我看了。还说什么"喂，八幡！我想到一个超有创意的设定！女主角是橡胶人，然后女二号可以让她的能力失效！这个设定肯定能大卖"。白痴。这算什么创意啊，根本就是土得掉渣，而且这真的不是抄袭？

总之，就结果而言，我们只是在这个不思进取的集体中待过一阵子，然后又回到各自的容身之处，也就是所谓的一期一会。

那么，这里算是我和雪之下的容身之处吗？那也未必。

我们的对话漫无边际，总是有一句没一句，氛围还是像以前一样尴尬。

"我进来了哦。"

忽然间，教室门"咯吱"一声被推开。

"唉……"

雪之下似乎已经彻底放弃，轻轻按着额头叹了口气。原来如此，在如此寂静的空间，有人突然开门的确会让人有抱怨的冲动。

"平冢老师，麻烦您进门前先敲门。"

"嗯？那不是雪之下的台词吗？"

平冢老师讶异地拉开一张身边的椅子坐了下来。

"您有何贵干？"

雪之下问道。平冢老师的眼睛又像少年般闪耀起来。

"我想来播报一下这场比赛的即时战绩。"

"哦，那个啊……"

我早就把它忘了个精光。更何况在我的印象中，我们还一件委托都没解决呢，忘掉也是正常的。

"目前你们的战绩是二比二，可以算是暂时平手。嗯，胜负难分才是格斗漫画的精髓……不过我个人比较期待雪之下因比企谷的死亡而觉醒的剧情。"

"为什么我非死不可……还有，您说二比二，可我们还没解决别人的烦恼啊。委托人也只来过三个。"

这个人不会算术吗？

"按照我的算法，刚好四个人。你可以称之为独断与偏见。"

"'老子说了算'原则能被您发挥到这个地步，也挺不容易的……"

这个人是胖虎吗？

"平冢老师，能不能告诉我们您判定胜利的标准是什么？正如这个人所说，委托给我们的烦恼应该没有解决才对。"

"唔……"

听了雪之下的质问，平冢老师沉默良久。

"是啊……烦恼的'恼'字是竖心旁，然后在竖心旁写一个'凶'字。最后又在'凶'上加了个盖子。"

"您以为是某年 B 班啊？"

（注：暗指《三年B班金八老师》。）

"所谓的烦恼就是藏在真心旁的东西。换句话说，他们来咨询的事并非是真正的烦恼。"

"刚开始的说明完全是多余的。"

"而且也不觉得有趣。"

我和雪之下毫不留情的批评让平冢老师沮丧起来。

"是吗……亏我还努力思考过那么一下……"

总之，胜负的标准就是这个人说了算。老师来回看向我和雪之下，闹别扭似的开口。

"真是的……你们攻击别人的时候倒是挺团结……简直就像是一对老搭档。"

"哪里像了……我怎么可能跟这个男人成为朋友？"

雪之下说着耸了耸肩。我还以为她会斜我一眼，结果居然没有瞪过来。

"比企谷，你也不必失落。有句俗语叫'萝卜青菜，各有所爱'。"

老师为了安慰我这样说道。人家才没有失落呢……不过，为什么这份温柔会让我一阵苦闷……

"是啊……"

雪之下竟然附和了老师的说法。话说回来，我之所以会这么失落，罪魁祸首就是你吧？

但是，雪之下不会撒谎，也不会伪装自己的感情。所以，她的话都值得相信。雪之下的脸上浮现起温柔的微笑。

"总有一天会出现喜欢上比企谷同学的昆虫。"

"至少换成可爱点的动物吧！"

我没有要求她换成人类已经很客气了。但傲慢的雪之下握起拳头，一副"说了又怎样"的嚣张表情。

或许是觉得自己口才很好吧，雪之下的双眸熠熠生辉，看起来很是高兴。

但被她戏弄的我可一点儿也高兴不起来。跟女生聊天不是应该叽叽喳喳、嘻嘻哈哈、亲来亲去的吗？这不太对啊。

我握起自动铅笔，想要记下自己转瞬即逝的心情。雪之下却忽然凑了过来。

"对了，你到底在写什么啊?"

"少啰唆，不关你的事。"

我潦草地写下了作文的最后一句。

后记

好久不见，我是渡航。初次见面，我是渡航。

接下来的话有些唐突，但我想说世人通常所说的"青春"并不正确，甚至可以说全是谎言。例如穿着制服与可爱的女朋友去 LaLaport 约会，通过朋友的介绍与其他学校的女生出去吃饭等等，这些事都不可能发生，全是异想天开的幻想故事。

（注：LaLaport 是日本的大型购物中心。）

青春恋爱喜剧的最后通常都会加上这样一句话吧？

"※本作纯属虚构，与真实事件、人物、团体无关。"

换句话说，青春恋爱喜剧全是骗局。大家都被骗了。

真正的青春是放学后两个男生去萨〇亚，只点自助饮料和佛卡夏面包聊到半夜，背后说着别人的坏话或埋怨学校来消磨时间。这才是真正的青春。这是我的亲身体验，所以肯定不会错。

【注：萨莉亚（Saizeriya）是日本连锁经营的意式餐厅。】

不过，我并不讨厌这样的青春。

将哈密瓜汁和橘子汁混在一起，笑嘻嘻地取名为"哈子汁"；毕业旅行时四个男生杀气腾腾地搓麻将；撞见喜欢的女生跟男友嬉笑打闹便陷入沉默。如今回想起来，这些全都变成了美好的回忆。

对不起，我在说谎。其实我最讨厌这样的青春了。当年的我很想穿着制服和女高中生约会。不，应该说现在也想。

我就是怀着这种心情提笔写下了这部作品。若能给您带来些许乐趣，便是本人最大的幸事。

最后献上谢词。

责任编辑星野老师，如果要倾吐对您的感激之情，那非得写成一本书不可，所以这里还是按下不表吧。总之，感谢您对我事无巨细的照顾。

Ponkan⑧大人，每当我心力交瘁，您笔下精美可爱的插图都会赐予我力量。我由衷地认为，把这份工作交给您真是太好了！非常感谢！

我素未谋面，却帮忙写下推荐书腰的平坂读老师。在我快要被不安与担忧压垮时，正是平坂老师的评语给了我勇气。在下感激不尽。

（注：日版书腰上印有《我的朋友很少》的平坂读赞不绝口——"尽管挖了我不少伤疤，但真的超有趣。这部作品给了我没有朋友也能坚强活下去的勇气！"）

我的朋友。我对每次见面都只会聊金钱话题的你失望透顶了！讲点近况行不行！

各位亲爱的读者，正因为有大家的支持，作家渡航才能存在于此。大家的每一句话都给了我创作的活力。感谢诸位。

最后，致高中时代的我。只因那时逞强的你终日抱怨无趣无聊，这部作品才得以问世。请你挺起胸膛。你的青春虽然有问题，但绝对是正确的选择。谢谢你。

至于这个故事是否会有后续，取决于大家都懂的那个指标，但相信还会与大家再见面的我已在构思下次的故事，所以

今天就在此搁笔吧。

二月某日
于千叶县某处

一边怀念过去的自己，一边轻啜甘甜的咖啡。

渡航

著作权登记号：皖登字 12131207 号

YAHARI ORE NO SEISHUN LOVE COME WA MACHIGATTEIRU Vol.1
by Wataru WATARI
Ⓒ2011 Wataru WATARI
illustrations by ponkanⓈ
All rights reserved.
Original Japanese edition published by SHOGAKUKAN.
Chinese translation rights in China (excluding Hong Kong, Macao and Taiwan)
arranged with SHOGAKUKAN through Shanghai Viz Communication Inc.
本作品中文简体字版由日本株式会社小学馆通过上海碧日咨询事业有限
公司授权安徽少年儿童出版社在中华人民共和国（台湾和香港、澳门特别
行政区除外）独家出版发行。

图书在版编目（CIP）数据

我的青春恋爱喜剧果然有问题. 1 /（日）渡航著；（日）ponkanⓈ绘；
Dying 译. — 合肥：安徽少年儿童出版社，2013.6 （2020.1 重印）
ISBN 978-7-5397-6688-1

Ⅰ. ①我… Ⅱ. ①渡… ②p… ③D… Ⅲ. ①长篇小说 – 日本 – 现代
Ⅳ. ①I313.45

中国版本图书馆 CIP 数据核字（2013）第 093074 号

WO DE QINGCHUN LIANAI XIJU GUORAN YOU WENTI

我的青春恋爱喜剧果然有问题 1 （日）渡航 / 著 （日）ponkanⓈ / 绘 Dying / 译

出 版 人：徐凤梅		责任编辑：王卫东 张万晖	
版权运作：古宏霞 王 利		责任印制：郭 玲	

出版发行：时代出版传媒股份有限公司 http://www.press-mart.com
安徽少年儿童出版社 E-mail：ahse1984@163.com
新浪官方微博：http://weibo.com/ahsecbs
（安徽省合肥市翡翠路 1118 号出版传媒广场 邮政编码：230071）
出版部电话：(0551)63533536(办公室) 63533533(传真)
（如发现印装质量问题，影响阅读，请与本社出版部联系调换）

印 制：合肥市宏基印刷有限公司
开 本：787mm×1092mm 1/32 印张：7.375 插页：4
版 次：2013 年 6 月第 1 版 2020 年 1 月第 25 次印刷
印 数：113501~128500

ISBN 978-7-5397-6688-1 定价：22.00 元